Beck'sche Reihe
BsR 626
Autorenbücher

Wolf Biermann gehört seit rund dreißig Jahren zu den bedeutendsten Liedermachern deutscher Sprache. 1953 wurde er in der DDR willkommen geheißen, 1965 dort verboten und 1976 schließlich ausgebürgert. Im Jahre 1991 wurde ihm von der Deutschen Akademie für Sprache und Dichtung der Georg-Büchner-Preis zuerkannt. In kaum einer anderen Gestalt seiner Generation spiegelt sich die kulturpolitische Erfahrung zweier deutscher Staaten – ungebrochen in ihrer melancholischen Hoffnung darauf, daß es anders werden müsse, damit es besser werde, wie Lichtenberg einst in sein Sudelbuch schrieb.

Jay Rosellini, geboren 1947, lehrt deutsche Sprache und Literatur an der Purdue University in West Lafayette/USA. Zu seinen Veröffentlichungen gehören neben Aufsätzen und Rezensionen zur Nachkriegsliteratur *Thomas Müntzer im deutschen Drama* (1978) und *Volker Braun* (1983).

JAY ROSELLINI

Wolf Biermann

VERLAG C. H. BECK MÜNCHEN

Für Alissa und Stefan

Die Deutsche Bibliothek – CIP-Einheitsaufnahme

Rosellini, Jay:
Wolf Biermann / Jay Rosellini. – Orig.-Ausg. –
München : Beck, 1992
   (Beck'sche Reihe ; 626 : Autorenbücher)
   ISBN 3 406 35052 6
NE: GT

Originalausgabe
ISBN 3 406 35052 6

Einbandentwurf: Uwe Göbel, München
Umschlagbild: Wolf Biermann (Photo Irene Vezin)
© C. H. Beck'sche Verlagsbuchhandlung (Oscar Beck), München 1992
Gesamtherstellung: Appl, Wemding
Printed in Germany

Inhalt

Vorwort

Wer sich mit dem Leben und Werk Wolf Biermanns auseinandersetzt, sieht sich öfter dazu veranlaßt, Begriffspaare wie Subjektivität und Objektivität, Ich und Gesellschaft oder Erlebnis und Dichtung zu verwenden. Das ist an sich nichts Außergewöhnliches, aber gerade im Umgang mit Biermann, dessen Denken und Empfinden von der Dialektik wesentlich geprägt sind, kann derjenige, der die literarischen Texte analysieren will, nicht umhin, den biographischen, (zeit-)geschichtlichen und gesellschaftlichen Kontext zu berücksichtigen. Der Leser dieser Studie wird also sowohl mit Gedichten, Liedern und Essays als auch mit dem inzwischen berühmt-berüchtigten „Fall Biermann" konfrontiert.

Wolf Biermann ist eine der markantesten Erscheinungen des deutsch-deutschen Kulturlebens der Nachkriegszeit. Ich sage auch nach der Auflösung der DDR bewußt „deutsch-deutsch", denn Biermann wäre bestimmt andere Wege gegangen, wenn er nicht in einem geteilten Deutschland aufgewachsen wäre. Wie kein anderer hat er die Teilung in seinen Schriften und bei seinen öffentlichen Auftritten thematisiert, was eher im Osten als im Westen auf Verständnis gestoßen ist. Hatte er jahrelang als reines DDR-Phänomen gegolten, so wurde in der letzten Zeit seine Zugehörigkeit zur bundesdeutschen Kulturszene nicht mehr bestritten. Nach den Umwälzungen von 1989/90 begann ein neues Kapitel, und man kann zu diesem Zeitpunkt nur vermuten, wie Biermann auf die veränderte Lage reagieren wird. Im Jahre 1991 kann das ‚letzte Wort' über diese einmalige Schriftstellerlaufbahn natürlich nicht gesprochen werden, wohl aber ist davon auszugehen, daß der Zeitraum 1960–1990 als ein geschlossenes Ganzes betrachtet werden kann. Nach dem Zusammenbruch des ‚Sozialismus' in der DDR hat Biermann durchaus noch das Recht, den „Traum von der Kommune" weiterzuträumen, aber ohne die Existenz eines deutschen Staates, der sich sozialistisch nennt (ganz zu schweigen vom restlichen Europa), wird der bisher angestrebte Bezug zur politischen Praxis noch schwerer herzustellen sein als zuvor. Das hat er auch selbst eingesehen: anhand des im März 1990 veröffentlichten Essays „Das wars. Klappe zu. Affe lebt" läßt es sich belegen. Dort heißt es: „... all die Verse, gemacht aus Spott und Schmerz, sinken nun aus der Zeitgeschichte ab in die Literaturgeschichte." Das Verb „absinken" deutet an, Biermann müßte sich jetzt damit ‚abfinden', nur noch Schriftsteller bzw. Künstler zu sein, aber es würde in die Irre führen, sein Verhältnis zu Kultur und Politik durch das Postulieren eines Zwei-Phasen-Modells beleuchten zu wollen, wie unten zu zeigen sein wird.

Eine Untersuchung des Biermannschen Schaffens und Agierens muß naturgemäß über die Interpretation der im Druck erschienenen Werke hinausgehen, da u. a. die Musik, die vielen Schallplatten (z. T. mit dazugehörigen Textheften), die Konzertreisen, die sich wandelnde Einstellung der Massenmedien und das Verhältnis zur literarischen Tradition sowie zu anderen Liedermachern wie etwa Bob Dylan (mit dem er, nebenbei gesagt, m. E. nicht viel mehr als eine Vorliebe für den Blues gemein hat), Georges Brassens oder Franz Josef Degenhardt (vgl. dazu Rothschild, 1980) berücksichtigt werden sollten. Im Rahmen der vorliegenden Arbeit konnten einige Aspekte nur gestreift werden, aber die Bibliographie soll denjenigen weiterhelfen, die sich für Einzelfragen interessieren. Es mußte auch darauf verzichtet werden, Biermanns Platz in der (politischen) Lyrik seit 1945 gegenüber Kollegen wie etwa Erich Fried oder Hans Magnus Enzensberger zu bestimmen. (Vgl. dazu Volckmann, 1982). Wie schwer das sein könnte, führt folgende Aussage von Walter Hinderer vor: „Lyrik läßt sich nach drei Wirkungs- und Intentionskategorien als stimmungshaft-gefühlsgerichtet, reflexiv-gedanklich und wirklichkeits-sachorientiert beschreiben." (1978, 26.) Bei Biermann lassen sich alle drei Kategorien finden, manchmal sogar in einem einzigen Text. Es fällt den Literaturwissenschaftlern und Feuilletonisten überhaupt schwer, mit Wolf Biermann umzugehen, ja, sie können sich nicht einmal entscheiden, wie man diese schillernde Gestalt einordnen sollte. Zu den Bezeichnungen, die zur Anwendung gekommen sind, gehören u. a.: „DDR-Barde", „Bänkelsänger", „Politsänger", „Dichtersänger", „Lyriker" (eher selten), „Liedermacher" (recht oft), „Tribun", „Integrationsfigur der Linken", „kommunistischer Troubadour", „Star", „Entertainer", „Jugendidol", „Anarchist", „Politbarde", „Polit-Träumer", „Sing-Genie", „Frauenheld", „Eurokommunist", „Kabarettist", „politischer Trommler" und sogar „singender Rudi Dutschke"! Es liegt auf der Hand, daß die meisten Autoren – und das gilt besonders für die Lyriker – nie Gegenstand eines solchen öffentlichen Interesses werden, nie Anlaß zu einem derartigen Medienrummel bieten. Im gegenwärtigen deutschsprachigen Kulturbetrieb ist Biermann ein Unikum.

Angesichts dieses Sachverhalts wäre es – zumindest gegenwärtig – nicht ratsam, im Sinne einer herkömmlichen germanistischen Monographie vorzugehen. Wer dem Wesen des Biermann-Phänomens auf die Spur kommen will, darf – bei allem literaturwissenschaftlichen Ernst – das subjektive Moment nicht außer acht lassen. Was mich betrifft, so liegt die erste Begegnung mit Biermann-Liedern etwa 20 Jahre zurück. Der Geist von 1968 war noch von mehr als antiquarischem Interesse, die Studentenbewegung noch nicht erstarrt, der Krieg in Vietnam noch nicht zu Ende. Ein Freund lieh mir eine Kassette (vielleicht eine der legendären Raubkopien); ich hörte eine Straßenbahn kreischen, eine heisere Stimme brüllen, und war fasziniert. Kennengelernt habe ich den Besitzer dieser Stimme erst 1983, und wir haben uns seitdem ab und zu unterhalten. Die Faszination ist geblieben, auch wenn die naiv-spontane Rezeption von einst längst durch ‚gelehrte Studien', Konzertbesuche (mit Notizblock) und Gespräche mit Kritikern, Schriftstellern und Fans überlagert ist. Im folgenden sollen sich beide Arten der Rezeption gegenseitig befruchten.

Für wichtige Hinweise möchte ich Thomas Broden, Edith Clowes, Wolfgang Emmerich, Henning Fülbier, Jeff Garrett, Michael Geisler, Michael Gilbert, Antonia Grunenberg und Marc Silberman danken. Bei den Teilnehmern meines Bier-

mann-Seminars an der Universität Hamburg im Sommerseme-
ster 1990 möchte ich mich auch für wertvolle Anregungen und
Provokationen bedanken. Schließlich danke ich Wolf Biermann
für seine Gesprächsbereitschaft.

West Lafayette/USA   *im Juli 1991*

I. Altona/Auschwitz/Aufbruch/Anecken: Herkunft, Bildungsgang und schriftstellerische Anfänge

> Berlin, du deutsche, deutsche Frau
> Ich bin dein Hochzeitsfreier
> Ach, deine Hände sind so rauh
> Von Kälte und von Feuer.

Ein deutsches Sprichwort heißt: „Ein guter Name ist ein reiches Erbteil". Dieser Spruch paßte gut zu Wolf Biermann, ergänzte man ihn durch die folgenden Worte: „... und manchmal eine schwierige Erbschaft". „Nomen est omen", sagen die Gebildeten. Der Mensch, um den es uns auf diesen Seiten geht, heißt eigentlich Karl-Wolf-Biermann, und der doppelte Vorname drückt die Hoffnungen der Eltern in bezug auf den künftigen Weg des – einzigen – Kindes aus. Karl Wolf war nämlich ein deutscher Kommunist, der nach dem 17. Juli 1932 (dem „Altonaer Blutsonntag"), nach den Straßenschlachten zwischen linken Arbeitern und SA also, hingerichtet wurde. Als Emma und Dagobert Biermann im November 1936 den geschichtsträchtigen Namen auswählten, rechneten sie offensichtlich damit, daß ihr Sohn bei dem auf absehbare Zeit weitergehenden ‚Kampf der Klassen' auf der richtigen Seite stehen würde, was ja Familientradition war. Emmas Eltern („Das Wort Prolet war ein Ehrenname ..." – I&G 1984) waren nach dem Ersten Weltkrieg zunächst bei der USPD, dann bei der KPD. In Hamburg trat Emma selbst der Kommunistischen Jugend bei, und dort lernte sie Dagobert kennen, der bei Blohm & Voß (vgl. das Gedicht „Der Alte von Blohm & Voß", *VW* 34) eine Lehre als Schlosser machte. Seine politische Aktivität hatte später die Arbeitslosigkeit zur Folge. 1933 kam er ins Zuchthaus, weil er die illegale *Hamburger Volkszeitung* gedruckt hatte, und nicht nur das: Er hatte auch einen Artikel über den schon erwähnten „Altonaer Blutsonntag" geschrieben. Als er 1935 aus dem Lübecker Gefängnis kam, begann er am Hamburger Hafen damit, heimlich Daten über die Schiffe zu sammeln, die Waffen und Munition zu den Franco-Truppen nach Spanien bringen sollten. Vier Monate nach Wolfs Geburt wurden er und sein Schwager bei dieser Tätigkeit erwischt, und 1939 wurde Dagobert Biermann vom Volksgerichtshof zu sechs Jahren Zuchthaus verurteilt. Bereits 1943 kam er jedoch – als Kommunist *und* Jude – nach Auschwitz, wo er im selben Jahr ermordet wurde. Mehr als zwanzig Mitglieder seiner Familie – einschließlich seiner Eltern – wurden Opfer des Holocaust. (Vgl. I&G 1969 b, 1982 a, 1984). Bewußt erlebt hat Wolf Biermann diesen Vater weniger als eine halbe Stunde: Das war 1942, als ihm und seiner Mutter ein kurzer Besuch im Moorlager Stuckhausen des Bremer Gefängnisses Oslebshausen genehmigt wurde (vgl. *KiG* 229 f.). Emma sorgte allerdings dafür, daß die Erinnerung an ihren Mann bewahrt blieb bzw. konstruiert wurde: „Meine Mutter hat mich erzogen und am Leben gehalten gegen die Nazis nur zu dem Zweck, daß ich meinen Vater rächen sollte ..." (I&G 1979 d, 55). An dieser Stelle sollte ferner darauf hingewiesen werden, daß Emma Biermann auch nach 1945 eine aktive – und mit den Jahren immer kritischere – Kommunistin blieb.

Diese Tatsachen muß man kennen, wenn man den Menschen Wolf Biermann verstehen und die Motivation hinter seiner literarischen Produktion bzw. seinem öffentlichen Wirken herausarbeiten will. Die meisten Deutschen seiner Generation – und das gilt noch mehr für die Schriftsteller – kommen nicht aus solchen Verhältnissen. Nicht umsonst spricht der westdeutsche Kritiker Michael Schneider vom „beschädigten Verhältnis zweier Generationen" (1981, 8 ff.). In ihrer weiterhin aktuellen Studie *Die Unfähigkeit zu trauern* meinen Alexander und Margarete Mitscherlich dazu: „Die Entwicklung der Zivilisation im allgemeinen wie auch die Erfahrungen unserer jüngsten deutschen Geschichte unterminieren ein in der frühen Kindheit notwendiges gültiges Vaterbild – das Bild einer positiv zu bewertenden sicheren Autorität." (229)

Im Nachkriegsde
gefallen, mit einem
Vater zurechtzukom
Linken befanden sich
eine eigene persönlic
mußten viele von ihn
wickeln, der dann als
schien. Daß ein solche
schlagen kann (nicht:
Biermann sah alles gar
Vaters mußte geradezu
Gelegenheit hatte, eine
wahrzunehmen. Das g
zwar nicht nur deshalb
Antifaschist war, sonder
der Rosa Luxemburg ei

mehr recht. Das alte Stück ist aus
tion aus der immer gleichen
Wüste darf wieder leise s
schweigen ...« (KiT, 32
hen, daß Wolf Bierm
ditieren wird, abe
jedoch, an den
Uraufführu
Im So
man
be

bis zum Herbst 1989 in der
DDR als subversives Gedankengut eingestuft wurden und b)
ein „Versöhner" war, d. h. einer, der Stalins verhängnisvolle
„Sozialfaschismus"-These (die Sozialdemokraten als verkappte
Nazis) ablehnte.

Das ist aber nur die eine Seite der Medaille. Eine derartige Familiengeschichte barg große Vorteile, doch auch einen nicht zu unterschätzenden Nachteil in sich. Wolf Biermann bekam eine vorgefertigte Identität, die er nur annehmen mußte, was er auch tat. Angesichts der intensiven und liebevollen Bemühungen seiner Mutter ist das auch kaum verwunderlich. Die Frage ist nur, ob er unter anderen Umständen diesen Weg eingeschlagen hätte. Er brauchte nicht zu rebellieren (zumindest nicht in seiner Jugend!), aber er konnte auch keine Alternative ausprobieren. Jahrelang wirkte er West-Besuchern, Interviewern und (später) Zuschauern gegenüber ungeheuer selbstbewußt und bar aller Zweifel. Bezeichnend ist der Titel eines Gesprächs: „Der sichere Standpunkt. Zur Position Wolf Biermanns" (I&G 1979 d). Kurz vor der Volkskammerwahl im März 1990 waren aber andere Töne zu hören: „Ich fange von vorn an. Nun muß ich endlich nichts mehr besser wissen. Nun bin ich nicht mehr im Besitze der oppositionellen Wahrheit, nun habe ich endlich nicht

... Ja, mich hat diese Revolu-
... Rolle befreit. Der Rufer in der
... prechen, darf sogar stottern und
...). Man sollte wohl nicht davon ausge-
... ann erst einmal hinter Klostermauern me-
... Neues ist durchaus zu erwarten. Nun gilt es
... Anfang zurückzukehren, als das „alte Stück" zur
... g gelangte.

... mmer 1943, erst einige Monate nach Dagobert Bier-
... Tod, wurde die Wohnung der Familie im Hamburger Ar-
... terviertel Hammerbrook bei einem alliierten Luftangriff zerstört, und Emma Biermann mußte mit ihrem Sohn aus der
brennenden Stadt fliehen. Die beiden wurden nach Bayern eva-
kuiert und kamen erst im September 1945 nach Hamburg
zurück (vgl. Shreve, 2 f.). Nach den vielen Traumata sollte ein
halbwegs normales Leben wieder beginnen. Die ersten Konflikte waren aber bereits vorprogrammiert: Im Rahmen des bald
einsetzenden Kalten Krieges wurden Kommunisten in den westlichen Besatzungszonen bzw. in den ersten Jahren nach der
Gründung der BRD zu absoluten Außenseitern, und Wolf Biermann kam aufs Gymnasium, wo er sich als Fremdling fühlen
mußte. Die später immer wieder lancierten Spitzen gegen die
„Bürgersöhnchen" (von „Bürgertöchterchen" ist m. W. nir-
gends die Rede!) wurden wohl nicht unwesentlich von den Er-
lebnissen im „Feindesland" (I&G 1986 a, 557) mitgeprägt. Die
Ablehnung dieses Milieus äußerte sich darin, daß einerseits die
Schularbeiten vernachlässigt wurden, andererseits Prügeleien
(nach heftigen politischen Auseinandersetzungen) oft an der Tagesordnung waren. Eine Sphäre blieb allerdings davon un-
berührt, und zwar die Teilnahme an den Veranstaltungen der
„Jungen Pioniere", dann der FDJ. Hier wandelte der Sohn
genau auf den Spuren der Eltern, die zur Weimarer Zeit auch
Plakate geklebt und Treffen organisiert hatten. Was wäre aus
einem Wolf Biermann geworden, der in der BRD geblieben
wäre? Er selbst meint, eine Laufbahn als „Bonze der DKP"
(I&G 1986 c) wäre durchaus eine Möglichkeit gewesen. Statt
dessen entschied er sich, nachdem er als „Junger Pionier" in der

DDR zu Besuch gewesen war, in den deutschen Staat zu ziehen, der die Träume der Eltern in Wirklichkeit umzusetzen schien. Dieser Schritt, den der knapp 16 ½-jährige unternahm, sollte sich als folgenreich erweisen – in jeder Hinsicht.

Anders als hinsichtlich der Zeit bis zur Übersiedlung ist über Wolf Biermanns Leben in den 50er Jahren wenig bekannt, vor allem deshalb, weil er sich kaum dazu geäußert hat. Erst seit der Platte *VEBiermann* (1988) und den Essays im „Revolutionsjahr" 1989/90 kommen einige Details ans Licht. Bisher ließ sich diese Periode nur in groben Zügen darstellen. Der neue DDR-Bürger kam auf ein Internat im Mecklenburgischen Gadebusch, wo er sich – wie verwandelt – mit „Heißhunger" und „Leidenschaft" seinen Studien widmete (I&G 1969b, 9). Nach dem Abitur begann er das Studium der Politischen Ökonomie an der Berliner Humboldt-Universität, aber schon nach zwei Jahren verließ er diese Bildungsstätte, um beim Berliner Ensemble Regieassistent zu werden. Diese Entscheidung war das erste Anzeichen dafür, daß die Neigungen des Ökonomen bzw. Funktionärs in spe eher zum Künstlerischen hin tendierten als zum direkt Politischen. (Fast ist man versucht zu sagen, daß die Arbeit des politischen Sängers für Biermann – ob bewußt oder unbewußt – von vornherein ein Kompromiß war, der die Wünsche der Eltern mit dem eigenen Schaffensdrang versöhnte.) 1959 entstanden die ersten Lieder, aber die Kunst wurde zunächst einmal „nebenbei" betrieben, da Biermann erneut an die Universität ging, um Philosophie zu studieren, und dieses Studium schloß er auch ab. Seitdem „philosophiert" er jedoch ausschließlich als Lyriker, Sänger und neuerdings als Publizist.

Biermann kam am 15. Mai 1953 in die DDR, d. h. zwei Monate nach Stalins Tod und wenige Wochen vor dem Aufstand am 17. Juni. Er war zu jung, als daß er diese beiden Ereignisse in ihrer ganzen Tragweite hätte begreifen können, und sein Augenmerk richtete sich damals ohnehin mehr auf die Konsequenzen, die der östliche Teilstaat aus der nationalsozialistischen Apokalypse gezogen hatte: „Ich ging zunächst, um in dem Teil Deutschlands zu studieren, in dem die Bourgeoisie entmachtet und die Nazis verjagt wurden" (I&G 1969 a, 45). Bei einem, der zahlreiche Opfer in der eigenen Familie zu beklagen hatte (man denke an die ähnlichen Erfahrungen und Entscheidungen des Kollegen Günter Kunert), war eine derartige Einstellung mehr als verständlich. Der bei jeder Gelegenheit verkündete Antifaschismus (der, wie sich später herausstellte, als von oben verordnete Gesinnung seine Wirkung weitgehend verfehlte) fand natürlich auch bei älteren, erfahreneren Menschen Gehör, nicht zuletzt bei vielen vor den Nazis ins Exil geflohenen Schriftstellern. Rückblickend versuchte Stefan Heym, ein Stimmungsbild dieser Periode zu entwerfen: „Man darf nicht vergessen, daß die DDR in jener Zeit noch attraktiv war, und nicht nur für ausgesprochene Kommunisten; Linke der verschiedensten Schattierungen fühlten sich von ihr angezogen, Intellektuelle besonders; hier, im Gegensatz zu der von den Amerikanern im Verbund mit recht zweifelhaften deutschen Gestalten verwalteten Bundesrepublik, experimentierte man mit neuen gesellschaftlichen Strukturen und suchte nach neuen Mustern menschlichen Verhaltens, oder gab zumindest vor, es zu tun ..." (1988, 542 f.). Die Kluft zwischen Anspruch und Realität, auf die hier augenzwinkernd hingewiesen wird, erlebte Biermann schon als Gadebuscher Gymnasiast in krasser Weise: Völlig unerwartet wurde er, kurz nach dem 17. Juni, von der Staatssicherheit verhört. Ihm wurde vorgeworfen, ein „Agent" des Klassenfeinds zu sein. Statt aber ins Gefängnis abzuwandern, sollte er seine Mitschüler bespitzeln. Im Verlauf der Unterredung kam es zu einem Handgemenge, und schließlich mußte der Vorgeladene schwören, daß er niemandem von seinem Aufenthalt bei der Stasi erzählen würde. Über ein Vierteljahrhundert nach dieser unheimlichen Begegnung beteuerte Biermann der verblüfften DDR-Bürgerrechtlerin Bärbel Bohley gegenüber, er wäre für subtilere Methoden der Anwerbung zweifellos empfänglich gewesen: „... ich hätte keinen Hauch eines moralischen Vorbehalts gespürt, ich wäre stolz über das Vertrauen der Partei gewesen ..." („Auch ich war bei der Stasi"). Als der 23jährige dann anfing, Gedanken und Gefühle zu Papier bzw. Notenblatt zu bringen, hatte er zwar mehr Einblick in das Wesen des DDR-Sozialismus als einst der

Neuankömmling, aber der Rebell (wider Willen) war noch lange nicht geboren.

Ende der Fünfziger Jahre war Wolf Biermann nicht der einzige junge Mensch, der einen poetischen Beitrag zum Aufbau des Sozialismus leisten wollte, oder, anders gesagt, der das Lebensgefühl der jungen Generation artikulieren wollte. Bis zu diesem Zeitpunkt waren die bekannten DDR-Schriftsteller zum größten Teil Menschen, die aus dem Exil zurückgekehrt waren oder im und nach dem Krieg zu schreiben begonnen hatten, Menschen also, die schon vor der Gründung der DDR Erwachsene waren. Das galt auch auf dem Gebiet der Lyrik, egal, ob es sich um gesellschaftskritische Gedichte (Brecht), hymnische (Becher), agitatorische (Fürnberg, Kuba, Zimmering) oder relativ hermetische (Arendt, Bobrowski, Huchel) handelte. (Diese Einteilung ist natürlich eine vereinfachende, gerade mit Bezug auf Brecht.) Die Jungen, die nun auf den Plan traten, wollten nicht als namenlose Kämpfer für ein künftiges Reich der Gerechtigkeit und Harmonie agieren, sondern ihre eigene, unverwechselbare Subjektivität in die konkreten Konflikte und widersprüchlichen Entwicklungen des sozialistischen Alltags einbringen. Derartige Einmischung – wenn auch in äußerst gemäßigter Form – war auch erwünscht und wurde auf der 1. Bitterfelder Konferenz (1959) gefordert. Öffentlich diskutiert wurde allerdings nicht, warum die Literatur des vorangegangenen Jahrzehnts so farblos gewesen war: Einschüchterungen und Maßregelungen von seiten der Dogmatiker hatten es ratsam erscheinen lassen, das heiße Eisen Gegenwartsstoff gar nicht erst anzufassen. Um 1960 wurde das anders. Es meldeten sich: Wolf Biermann, Volker Braun, Bernd Jentzsch, Sarah Kirsch, Reiner Kunze, Karl Mickel, Irmtraud Morgner, Christa Wolf u. v. m. (Günter Kunert, der normalerweise dieser Gruppe zugeordnet wird, war damals längst kein Debütant mehr.) Durch den Einsatz dieser Autoren gewann die DDR-Literatur an Profil und Eigenständigkeit, aber man hat es ihnen bekanntlich schlecht gedankt: Die meisten von ihnen wurden hinausgeekelt oder im Lande mal gelobt, mal schikaniert. Vor dreißig Jahren konnte aber niemand ahnen, daß es je soweit kommen würde.

In der Pubertät tun viele Menschen etwas, was ihnen weder vorher in den Sinn kam noch nachher sinnvoll erscheint: Sie schreiben Gedichte. Diese Verse, die gottseidank meist in der Schublade bleiben, sind eine Art Ventil für die überquellenden Empfindungen des/der Noch-Nicht-Erwachsenen. An dieser Übung (die zunehmend durch das Drehen von Privat-Videos ersetzt wird) hat Wolf Biermann nie teilgenommen. Er legt Wert auf die Feststellung, daß er „von den politischen Leidenschaften zur Kunst" gekommen sei: „Ich habe irgendwann entdeckt, daß das eine Form ist, in der ich mich sehr wirkungsvoll politisch betätigen kann" (I&G 1969 b, 15). Diese Aussage hat einen so programmatischen Klang, daß man sich unwillkürlich fragt, ob es sich dabei um eine nachträgliche Stilisierung handelt. Es ist nämlich bekannt, daß Biermann 1959 Brigitte Soubeyran kennenlernte und sich in sie verliebte. Diese Frau schwärmte für die Lieder des französischen Chansonniers Georges Brassens, den der Verliebte durch eigene Werke vergessen lassen wollte (vgl. Hammer, 118 f.). Es entstanden zahlreiche Liebeslieder, die zum größten Teil nie im Druck erschienen und auch heute noch nicht vorliegen. Einige sind aber in Lyrik-Anthologien aufgenommen worden, und ein Blick auf sie verschafft einem einen Einblick in die poetische Werkstatt des Anfängers.

Da man wohl davon ausgehen kann, daß die veröffentlichten Texte aus der Sicht ihres Schöpfers die besten waren (gemeint sind hier die eher privaten Gedichte, nicht die politischen, bei denen die Zensur mitmischte), so wird offensichtlich, daß Biermann kein genialer Wurf auf Anhieb gelang. Die kleine Poetik im frühen Gedicht „Wie Lieder gemacht werden" verrät, warum es erst bei Fingerübungen blieb. Die zweite Strophe lautet: „Für drei Minuten Musik / muß ich: / zwei Tage küssen, / drei Tage leiden, / vier Tage lachen – erst dann kann ich ein kleines Lied / von drei Minuten machen." (*Sonnenpferde und Astronauten*, 22.) Das ist zwar ganz nett, sogar sympathisch, aber auch banal. Die Naivität wirkt auch nicht echt, sondern gewollt. Das „Leiden" kommt einem auch wie bloße Koketterie vor. Entweder ist der Mensch hinter diesen Versen noch unreif, oder er weiß noch nicht, wie uninteressant die vagen Allerweltsweisheiten sind, die er anbietet. Diese Strophe wurde sogar erneuert, und zwar als dritte und letzte Strophe von „Dichter-Gedichte" (vgl. *Musenkuß und Pferdefuß*, 174), wo das Ganze bereits ironisch gebrochen ist. Manche Bilder wirken sehr bemüht, z. B. in „Die Zeit der Trauben": Der vergebliche Versuch, Trauben zu kaufen, steht als Pendant zur Liebe, die erlosch (*Immer um die Litfaßsäule rum*, 276). Experimentiert wird mit dem volksliedhaften Ton, z. B. im Lied vom „Blümchen", welches im Dezember blüht und erfriert (vgl. Textheft zu *VEBiermann*), und auch mit Heine-Stimmung: In einem seiner „allerersten Lieder" stürzt die Loreley in den verdreckten Rhein, was vielleicht noch anginge, doch kann es sich der junge Lyriker nicht verkneifen, den fatalen Vers „ich weiß nicht, wie traurig ich bin" hinzuzufügen (Abdruck: *Seelengeld*-Plattenhülle). Es ist überhaupt ein Spiel mit Motiven und Ausdrucksweisen, und manches taucht später wieder auf, z. B. die Verknüpfung von Gaumenfreuden und Sexualität: zu den Trauben gesellen sich die Kirschen (vgl. „Liebeslied" und „Abschied" in *Sonnenpferde*, 23 ff.), die nicht nur in Buckow, sondern auch in Paris („Le Temps des Cerises") Symbolwert besitzen. Was das Politische betrifft, so fehlt den meisten Versuchen in dieser Richtung genau das, was Biermann später – immer wieder – als unentbehrlich bezeichnen sollte: „Da, wo sich der Familienkram überschneidet mit der Geschichte der Klasse, ist der Punkt, wo ein Lied versteckt ist, das vielleicht auch andere brauchen." (*PI*, 110.) Die ausschließlich privaten Freuden und Leiden seien höchstens im Familien- und Freundeskreis von Interesse, die Subjektivität müsse auch eine gesellschaftliche Dimension besitzen – und umgekehrt. Am Anfang gelingt die Verquickung noch selten: Entweder muß das lyrische Ich zugunsten des Politischen ganz zurücktreten (etwa in der „Ballade von William L. Moore"), oder die Idylle bzw. die Elegie kreist um ein liebendes/trauerndes Individuum, das ‚zeitlose' Gefühle hegt. In der „Ballade von der weißen Sophie" werden zwar die Motive Mauer und Republikflucht mit einer Jugendliebe verknüpft, aber der melancholische Refrain („Die Mauer steht / Wind drüber weht /

Nach Süden und nach Norden ...") wird vom schnoddrigen Ton in den drei Strophen (absichtlich?) um ihre Wirkung gebracht (vgl. *Litfaßsäule,* 274 f.).

Man muß jedoch im Auge behalten, daß es sowieso nicht der Abdruck von solchen Gedichten in Anthologien war, der den Namen Biermann in der DDR bekannt machte; es war eher sein unerwarteter Auftritt beim legendären Lyrikabend am 11. Dezember 1962 in der Ost-Berliner Akademie der Künste, der den Grundstein zu seinem Ruhm legte. An diesem Abend las der Organisator Stephan Hermlin zunächst Gedichte von Biermann, Volker Braun, Bernd Jentzsch, Sarah Kirsch, Rainer Kirsch u.a. vor. Im zweiten Teil der Veranstaltung kam es zu einer Diskussion (an der Biermann singend und argumentierend teilnahm), die für diese Zeit – knapp anderthalb Jahre nach dem Mauerbau – ungewöhnlich freimütig war. Dies blieb nicht ohne Folgen, da SED-Funktionäre im Saal anwesend waren: Hermlin verlor seinen Posten als Sekretär der Sektion Dichtkunst und Sprachpflege der Akademie und verschwand aus dem Vorstand des Schriftstellerverbandes, während Biermann bis Juni 1963 Auftrittsverbot erhielt und im selben Jahr aus der SED ausgeschlossen wurde. Die umstrittene Soiree war der eigentliche Beginn der sog. „Lyrik-Welle", bei der – analog den Lesungen Jewtuschenkos und Wosnessenskis in der Sowjetunion – junge Lyriker ihre Werke vorstellten. Der DDR-Romancier und Altkommunist Willi Bredel wünschte sich in einem am 13. 12. 1962 veröffentlichten Interview ausdrücklich „wahre Jewtuschenkos", die in der DDR „Bewegung bringen und Großes schaffen". (Zit. nach Sander, 1972, 202.) (Die beiden eben genannten Sowjetdichter sind übrigens 1933 geboren, gehören also zur selben Generation wie Biermann, Reiner Kunze und Sarah Kirsch.) In der offiziösen DDR-Literaturgeschichte liest man jedoch, „Auftakt und Höhepunkt" dieser an sich nicht sehr rebellischen „Lyrik-Welle" wäre nicht das (unerwähnte) Hermlin-Projekt, sondern „die großen Lyrikabende im Januar 1963 in Berlin, Leipzig, Halle und Dresden" (Haase, 816, Anm. 54). Anscheinend sollte nicht der Eindruck entstehen, Biermann habe als Mit-Initiator einer Bewegung fungiert. Noch absurder als die

Retusche am Bild der kulturellen Entwicklung erscheint aus heutiger Sicht der geradezu aberwitzige Einfall, anläßlich der Anthologie *Sonnenpferde und Astronauten* das Alphabet zu ändern. Da findet man Braun vor Biermann, weil der Unbequeme sonst an erster Stelle gestanden hätte. (Wie fühlte sich wohl der als ‚sicherer Kantonist' eingeschätzte Volker Braun dabei?) Dieser Band hätte eigentlich *Astronauten und Sonnenpferde* heißen müssen, da das Wort „Sonnenpferde" ausgerechnet einem Biermann-Gedicht entstammt.

1963 hatte sich die Lage allerdings noch nicht soweit zugespitzt, daß Biermann unmittelbar gefährdet schien. In einem unsignierten Aufsatz in der *Neuen Deutschen Literatur* war eine Beurteilung zu lesen, die die damalige Unentschlossenheit der Funktionäre bzw. deren Spaltung in zwei Lager spiegelte. Dort hieß es: „In Gedichten von Wolf Biermann bleibt eigene politische und weltanschauliche Problematik unbewältigt, die Emotionalität seines Empfindungsgedichts erscheint gebrochen, und das Bild unseres Lebens wird subjektivistisch geprägt. Dabei dürfen wir nicht übersehen, daß Biermann eine – heute sehr seltene – starke Begabung für die Ballade hat und auch eine Reihe künstlerisch und politisch guter Lieder geschrieben hat." („Entwicklungsprobleme der Lyrik …", 70.) Dem „Verfolgten des Faschismus" sollte noch eine Chance gewährt werden. Was man ‚oben' aber noch nicht wußte, war, daß Biermann ohnehin keine Kompromisse mehr machen wollte. Dieser Entschluß hatte vor allem mit dem Schicksal seines Stückes *Berliner Brautgang* zu tun. Als Student hatte Biermann 1961/62 mit Freunden ein altes Hinterhofkino in der Ost-Berliner Belforter Straße zum „b. a. t." (= Berliner Arbeiter- und Studententheater) umgebaut. Der Name sollte auf das Bündnis zwischen Arbeiterklasse und Intelligenz hinweisen. Biermann setzte sich sehr für diese ‚Basisinitiative' ein und bereitete als eine der ersten Vorstellungen die Inszenierung seines Erstlings vor, der die Liebe zwischen einem Arbeiter und einer Arzttochter in der geteilten Stadt darstellte. Die Handlung war keine Erfindung, sondern eine Geschichte, die er selbst erlebt und erlitten hatte (er änderte nur die Details). Anders als in der „Ballade von der weißen Sophie" (vgl. oben) war die Grundstimmung aber tragisch, was der SED-Funktionär, der als ‚Berater' auftrat, nicht hinnehmen konnte. Nach vielem Hin und Her wurde aus der Tragödie eine „sehr schlechte Komödie" (so Biermann), die trotzdem verboten wurde, und nicht nur das: Auch das Theater selbst wurde 1962 geschlossen. Das Ganze hat den angehenden Dramatiker/Regisseur so traumatisiert, daß er bis heute nicht daran denkt, die Urfassung des Stückes zu veröffentlichen. Dafür hat er bestimmt Genugtuung empfunden, als sein zweites Drama, *Der Dra-Dra*, 1990 in eben diesem „b. a. t." seine DDR-Uraufführung erlebte.

Nachdem das Auftrittsverbot abgelaufen war, durfte Biermann wieder in der Öffentlichkeit singen: Beim 3. Lyrikabend am 14. Juni 1963 im Auditorium der Humboldt-Universität sang er, wie vereinbart, einige Liebeslieder. Die Zuhörer, über 1000 an der Zahl, gaben sich aber nicht damit zufrieden, und der Sänger ließ sich zu einem Themenwechsel hinreißen: „Ich habe keine Lust mehr, Liebeslieder zu singen. Jetzt kommt was Politisches." Die Begeisterung des Publikums kannte keine Grenzen, und der Eklat war perfekt. (Vgl. dazu den Bericht in *Die Welt* vom 15. 6. 1963.) Die Kulturpolitiker empfanden diesen Auftritt zweifellos als eine bewußte Provokation, aber sie griffen zunächst nicht zu Gegenmaßnahmen. Im Dezember durfte Biermann wieder bei einem Lyrikabend im selben Saal auftreten (auf der Bühne saßen als weitere Teilnehmer Paul Wiens, Sarah Kirsch, Rainer Kirsch, Bernd Jentzsch u. a.; Programmleiter war Hermann Kant), und 1964 gestaltete er als Gast ein eigenes Programm im Ost-Berliner Kabarett „Die Distel". In diesem Jahr wurde ihm auch unerwarteterweise eine zehntägige Tournee durch die BRD genehmigt – eingeladen hatte der Sozialistische Deutsche Studentenbund (SDS). Die gut besuchten Konzerte vor vorwiegend studentischem Publikum brachten nicht wenige DDR-Beobachter in Verwirrung, denn eine Gestalt wie der Ost-Berliner war nach den Denkschemata der damaligen Zeit gar nicht vorgesehen: „Nach unseren Klischeevorstellungen gibt es drüben einerseits hymnenfreudige Parteidichter, und andererseits solche Autoren, die mehr oder weniger apokryph gegen den Stachel löcken." (Bericht in der *SZ* vom 15. 12. 1964.) Westdeutsche Kritiker rühmten nicht nur seinen politischen Mut, sondern auch seine künstlerische Leistung: Alfred Starkmann sprach von „souveräne(r) Sprachbeherrschung und ... meisterhafte(r) Vortragskunst", und Heinrich Vormweg nannte Biermann einen „Dichter" (beide in *Die Welt* vom 12. 12. 1964). Der Name Wolf Biermann war kein Geheimtip mehr.

Der eigentliche Durchbruch – und gleichzeitig der Anfang vom Ende – zeichnete sich im darauffolgenden Jahr ab, denn Biermann erreichte zum erstenmal ein Massenpublikum. Der Erfolg, der zum Verhängnis wurde, ist mit zwei Namen verknüpft: Wolfgang Neuss und Klaus Wagenbach. Neuss war schon in den 50er Jahren ein bekannter Schauspieler und Kabarettist gewesen, und wie viele seiner bundesrepublikanischen Kleinkunst-Kollegen hatte er damals einen sozialdemokratischen – und antikommunistischen – Standpunkt vertreten. Das änderte sich Anfang der 60er Jahre, als er mit den radikaldemokratischen Studenten in Berlin zu sympathisieren begann. Ab 1963 arbeitete er als Solokabarettist, und 1964 konnte er dem Publikum in seinem West-Berliner Kabarett „Asyl" den gerade im Westen konzertierenden Biermann präsentieren. Bei einem Gastspiel im Berliner Ensemble setzte er sich für den wieder unter Beschuß geratenen Sänger ein, und 1965 planten die beiden einen „gesamtdeutschen Kabarett-Treff" im Rahmen der Ostermarschveranstaltung in Frankfurt am Main (vgl. Kühn in Neuss, 1985, 16). Biermann bekam auch tatsächlich vom Kultusminister Bentzien eine Ausreisegenehmigung, und auf der Abschlußkundgebung auf dem Römerberg sang er das „Barlach-Lied". (Er war nicht der erste DDR-Autor, der an einem Ostermarsch teilnahm; vgl. Hahn, 1978, 21 f.) Am Abend desselben Tages – es war der 19. April 1965 – stand er mit Neuss im Gesellschaftshaus am Zoo auf der Bühne. Dieser ungewöhnliche deutsch-deutsche Auftritt vor 800 Zuhörern wurde aufgenommen und kam als Schallplatte bei Philips heraus (trotz der Proteste von seiten der DDR-Behörden). Jetzt konnte man sich die Lieder des Mannes aus der damals noch exotischen DDR im Wohnzimmer anhören, und das, was man hörte, war dazu ange-

23

tan, die Neugierde weiter zu reizen. Schon ein Titel wie „Was verboten ist, das macht uns gerade scharf" traf einen Nerv auf beiden Seiten der Mauer (die DDR-Fans mußten sich natürlich damals – wie bis zum November 1989 – mit mehrfach überspielten Tonbändern begnügen). Biermann porträtierte feige Funktionäre, die seine Konzerte verboten, ihn aber gleichzeitig im privilegierten Kreise vorführen wollten („Keine Party ohne Biermann"), geißelte Militarismus („Soldatenmelodie") und faschistische Überreste („Das Familienbad") und schilderte die Enge und Langeweile im ‚Land des Nichts-ist-los' (z. B. im „Kleinstadtsonntag"). Das neuartige und wohl Verblüffende lag wohl darin, daß man einen erlebte, der einerseits vor Selbstbewußtsein strotzte und sein Recht auf Subjektivität einklagte, andererseits aber gerade in dem Land leben wollte, wo so etwas angeblich vom Apparat auf der ganzen Linie unterbunden wurde. Eine einzige Schallplatte stellte also viele Klischeevorstellungen des Kalten Krieges in Frage. (Leider sahen die Betonköpfe im Politbüro darin nur einen Bärendienst.) Dazu schrieb Bernhard Schütze in der *FR* vom 21. 4. 1965: „Vielleicht werden sich noch andere neben Neuss und Biermann spottend auf die Berliner Mauer setzen; hoffentlich."

Auf der Plattenhülle meinte Gerhard Zwerenz zu Biermann und Neuss: „Worin sind sie verwandt? Im glücklicherweise unverwüstlichen Widerspruchsgeist, mit äußerst kunstvoll-frecher Schnauze, im Glauben an das Gute im Publikum." Es einte sie eigentlich noch mehr. Wie Biermann wurde Neuss (wenn auch erst Anfang 1966) aus einer Partei ausgeschlossen, in diesem Fall der SPD, weil er dazu aufgerufen hatte, die Zweitstimme der Deutschen Friedens-Union zu geben. Beide plünderten auch die Werke von François Villon und Bertolt Brecht für ihre eigenen Schöpfungen. Im *Neuss Testament* (entst. 1965) finden sich Verse, die von Neuss oder Biermann stammen könnten. Das Gedicht „Vom Wildern in fremden Revieren" erinnert z. B. an die „Ballade auf den Dichter François Villon":

„Vom Bertolt Brecht weiß jedes / aufgeweckte Kind / daß er den Franz Villon von langer Hand bestahl ... Ich stell den Antrag von Villon / nach selbiger Manier / aus Bertolts bester

Schreibe etwas wegzuklaun / wir wildern einfach frech im Brecht-Revier." (*Neuss Testament,* 100.)

„Und singt vielleicht auch mal ein Lied / Balladen und Geschichten / Vergißt er seinen Text, soufflier / Ich ihm aus Brechts Gedichten" (*DH,* 31.)

Neuss' „Berliner Ballade" enthält auch eine Beschreibung der Berliner Mauer („Ich aber ging wohl zu der Mauer hin / verzappelte mich schnell im Drahtverhau." – *Neuss Testament,* 104), die auch in *Deutschland. Ein Wintermärchen* stehen könnte, wo es im ersten Kapitel heißt: „Manch einer warf sein junges Fleisch / In Drahtverhau und Minenfeld" (5). Beide schreiben bissige Verse über die Brecht-Witwe Helene Weigel (*Neuss Testament,* 101; „Frau Brecht" in *VEBiermann*), beide lassen sich von Alfred Lichtensteins Gedicht „Lene Levis Fall in den Fluß" inspirieren (*Neuss Testament,* 63 ff.; *Hälfte des Lebens*) und beide hoffen auf einen menschlichen Sozialismus, was in der Neuss'schen Formulierung so klingt: „Mit Charly Marx / hat's zwischen Warschau und Paris / noch niemand echt versucht." (*Neuss Testament,* 106.) Angesichts dieser Affinität ist es vielleicht nicht uninteressant, Neuss' Urteil über den jungen Biermann zu hören: „Biermann hatte von vornherein den Hang zur Prominenz. Komischerweise ist er doch eigentlich ein Arbeiterkind, das die Systeme erkannt und sich für eins entschlossen hat. Und doch war er wie ich prominenten- und privilegiengeil. ... Ich meinte noch, er wollte als Freiheitsheld berühmt werden. Ich wußte noch nicht, daß er darauf aus war, literarischen Ruhm zu erlangen. Schon damals wollte er ein Klassiker werden. Und in drei Tagen. ... Biermann war schon zu der Zeit verbittert, übrigens mit Recht. Er hatte die Verbitterung jedes Bürgers der Republik, nur sammelte sich bei ihm eben alles an, weil er die Kraft hatte, sich auszudrücken." (Salvatore/Neuss, 1981, 281, 287, 291.)

Die erste Biermann-LP wäre ohne die Kontakte und die Unterstützung von Wolfgang Neuss vielleicht gar nicht auf den Markt gekommen, und der erste Band mit Balladen, Gedichten, Liedern und Notenbeispielen hätte eventuell auch manches Jahr auf sich warten lassen, wäre der ehemalige Fischer-Lektor und angehende Verleger Klaus Wagenbach kein Risiko eingegangen. Bereits 1964 hatte Biermann dem Rowohlt-Verlag das Manuskript der *Drahtharfe* angeboten, aber „einer unserer prominenten Literaturkenner" (so Marcel Reich-Ranicki in der *FAZ* vom 17.10. 1976), der die Verse für Rowohlt begutachtete, war nicht gerade begeistert; damit wurde das Projekt torpediert. (1990 erzählt Biermann, der Gutachter – kein anderer als Hans Mayer – habe seine Meinung inzwischen geändert, was ihn freue.) Wagenbach lernte Biermann 1965 bei Ingeborg Bachmann kennen, und über die Zusammenarbeit wurden die beiden bald miteinander einig. Im September war das „Quartheft" Nr. 9 in den Buchläden westlich der Elbe und in West-Berlin – einen Steinwurf weit von Biermanns Wohnung in der Chausseestraße – erhältlich. Die ersten sechs Bände dieser Reihe waren erst im Frühjahr 1965 erschienen, und Wagenbach ging dabei zunächst auf Nummer Sicher, Werke von Bachmann, Bobrowski, Grass u. a. anbietend. Danach konnte er es sich leisten, Bücher „von vollkommen oder fast unbekannten Autoren (Delius, Hermlin, Biermann)" zu drucken (so der Verleger beim 20jährigen Jubiläum im *Zwiebel-* Almanach 1984/85, 6). Im Falle Biermann riskierte man, wie es sich später herausstellen sollte, nicht nur nichts, sondern man erwirtschaftete einen beachtlichen Gewinn: *Die Drahtharfe* war jahrelang der meistverkaufte Lyrikband seit 1945. Dies trifft heute zwar nicht mehr zu, doch der neue Spitzenreiter – Erich Frieds *Liebesgedichte* (209.–216. Tausend 1990) – ist auch ein „Quartheft".

In den letzten dreißig Jahren hat Biermann Hunderte von poetischen Texten geschrieben, aber fast das ganze Universum des unermüdlich Schaffenden ist bereits in der *Drahtharfe* zu besichtigen. Der „Liedermacher", wie er sich seit dem Anfang seiner Karriere nennt – die Bezeichnung soll in Anlehnung an den Brecht-Terminus „Stückeschreiber" der Produktion die Weihe des Mysteriösen nehmen–, beschreibt seinen Alltag in der DDR, und zwar alle Aspekte dieses Alltags. Um ein „lebendiges, gutes Lied" zu schreiben, müsse man „fühlen, riechen, schmecken! ... Dazu muß man anfassen, muß gelitten haben in einer Gesellschaft und muß sich vergnügt haben!" (I&G 1982 c) Die *Draht-*

harfe kann als Illustration dieser Thesen betrachtet werden, denn der politische Streit und das persönliche Erleben stehen gleichberechtigt nebeneinander. Der Prozeß der Selbstfindung ist von der anvisierten Einmischung in den ‚sozialistischen Gang‘ nicht zu trennen. In bezug auf die primäre Schreib-Motivation liegen allerdings höchst widersprüchliche Aussagen vor. Einerseits heißt es: „Im Grunde schrieb ich nur, um es selbst zu begreifen. Ich wollte die Menschheit nicht belehren. ... Ich hasse diese Leute, die immer der Menschheit mitteilen wollen, wie es ist mit dem Leben." (I&G 1986 a, 558.) Andererseits verkündet derselbe Mensch: „Meine ganze Arbeit hat den Zweck, die Entwicklung einer sozialistischen Arbeiterdemokratie in den Ländern zu fördern, die sich sozialistisch nennen." (I&G 1972.) Oder ganz lapidar: „... bewirken möchte ich allerdings etwas." (I&G 1980.) Es wäre wohl zwecklos, bestimmen zu wollen, welcher Aspekt der vorherrschende gewesen ist, aber eines läßt sich nicht bestreiten: Wolf Biermann drängte es von Anfang an in die Öffentlichkeit, und um sich bewähren zu können, mußte er sich auch der künstlerischen Gestaltung seiner Botschaft widmen.

Anders als etwa sein zeitweiliger Förderer Stephan Hermlin, der einer kunstsinnigen Bürgerfamilie entstammt, mußte sich Biermann alles selbst aneignen, sowohl eine umfassende Kenntnis der Werke seiner Vorgänger bzw. potentiellen Vorbilder als auch den handwerklichen Umgang mit den literarischen und musikalischen Mitteln. Den Verlauf des Selbststudiums beschreibt der Autodidakt so: „Ich hab mich ... eine ziemliche Zeit in übertriebener Weise mit Kunst beschäftigt, um mir überhaupt die Ausdrucksmittel zu verschaffen, die ich brauche, um nicht die politischen Ideen, für die ich eintreten möchte, zu diskreditieren durch eine erbärmliche künstlerische Verwirklichung." (I&G 1969 b, 15.) Diese Worte erwecken den Eindruck, als wäre Biermann dabei systematisch vorgegangen, aber das war vermutlich nur bis zu einem gewissen Grad der Fall. Das Interesse an den Franzosen François Villon, Pierre-Jean de Béranger, Georges Brassens und Boris Vian hing z. B. ursprünglich mit der Beziehung zur obenerwähnten Brigitte Soubeyran zusammen, und die Beschäftigung mit Carl Michael Bellman und anderen

Vertretern der schwedischen Liedtradition wurde durch Eva-Maria Hagen angeregt. Dafür brauchte Biermann nicht von anderen an die Werke Heinrich Heines („der Poet mit der radikalsten Tendenz", *KiG* 265) herangeführt zu werden, und nach dem Aufenthalt am Berliner Ensemble, wo er Helene Weigel (später auch Ruth Berlau und Käthe Rülicke) kennenlernte, war Bertolt Brecht seine „Sonne" (*KiT*, 173). Auf dem Gebiet der Musik war es Hanns Eisler, der den Liedermacher entscheidend prägte. Biermann suchte ihn 1960 auf, als er an der Humboldt-Universität eine Agitproprevue vorbereitete (zu dieser Zeit war er sich dafür noch nicht zu schade). Formal ist es nie zu einer Nachahmung des Mentors gekommen, der u. a. Arbeiterlieder im Marschrhythmus komponierte, aber im Hinblick auf das Verhältnis zwischen Text und Musik hat die Eislersche Auffassung bis heute ihre Gültigkeit nicht verloren. Biermann faßt sie so zusammen: „Den Text gegen den Strich bürsten, Haltungen mit Hilfe der Musik vorzeigen, die der Text nur als latente Möglichkeit hat." (*KiG*, 285.) Diese Formulierung läßt ahnen, warum viele Literaturwissenschaftler davon absehen, das Phänomen Biermann zu analysieren: Der Autor selbst weist darauf hin, daß die Lieder ohne die akustische Ergänzung unvollkommen bleiben. Im folgenden nähern wir uns diesem Problem auf zweierlei Weise: Zum einen werden die Schallplatten nicht nur am Rande berücksichtigt, und zum anderen wird nachgeprüft, ob Biermanns Behauptung, gewisse Verse wären nicht als eigenständige Gebilde zu betrachten, stichhaltig ist.

Die Drahtharfe (engl.: *The Wire Harp*; franz.: *La harpe des barbelés*; schwed.: *Taggtradshårpan*) besteht aus vier Abteilungen: den „Buckower Balladen", den „Portraits", „Berlin" und „Beschwichtigungen und Revisionen". Den ersten beiden liegt ein leicht auszumachendes Ordnungsprinzip zugrunde, während die anderen eher wie Potpourris wirken. Entstanden sind die im Band enthaltenen Texte zwischen 1960 und 1965, die meisten jedoch vor 1964. Dem Leser wird nicht mitgeteilt, daß er nur eine kleine Auswahl aus der frühen Produktion vor sich hat. Einige Gedichte aus der Anfangszeit erschienen auch erst im zweiten Band *Mit Marx- und Engelszungen* (z. B.: „Die grüne Schwemme", „Von mir und meiner Dicken in den Fichten", „Ballade vom Panzersoldat und vom Mädchen" und „Soldat Soldat"). Wenngleich Biermann bestimmt schon damals das Brecht-Diktum kannte, das Volk sei nicht „tümlich", strebte er offenbar nach einer gewissen Volkstümlichkeit. Die Entscheidung, Lieder und Balladen zu schreiben, weist an sich schon in diese Richtung, denn diese Formen sind seit eh und je auch den Menschen ohne literarische Vorbildung vertraut gewesen. Avantgardistische Bravourstücke sind sowenig zu verzeichnen wie ein Liebäugeln mit der ‚bürgerlichen Dekadenz', dem Schreckgespenst der SED-Kulturpolitiker seit den 50er Jahren. Es gibt meist klar erkennbare Strophen und Reimschemata, und die Lektüre ist ohne Fremdwörterbuch zu bewältigen. Als Erklärung für den Erfolg der Sammlung sind solche Feststellungen freilich nicht ausreichend.

Die fünf „Buckower Balladen" – die Überschrift ist eine Anspielung auf Brechts Spätwerk „Buckower Elegien" (vgl. Günter Kunerts „Bucher Elegie") – sind ‚Nachrichten von drüben', wobei scheinbar banale Details aus dem DDR-Alltag aufgegriffen werden. In „Erster Mai (Von Kindern auf dem Dorf zu singen)" wird z. B. der Feiertag, will sagen, Kampftag der Arbeiterklasse aus der Kinderperspektive beschrieben. Da Kinder von Tabus nichts wissen, bekommt man kein ideologisch gefärbtes Wunschbild. Der weiter bestehende Konflikt zwischen Stadt und Land kommt zur Sprache, und der traditionelle Rhythmus des bäuerlichen Lebens wird von der SED-Losung am Kuhstall kaum tangiert: „Im Kuhstall wird die Milch gemacht, / die Butter und der Frieden." (9) Hier haben wir schon den ganzen Biermann in nuce: Der Lyriker hat sich den ‚Kinderblick', d. h. die Unvoreingenommenheit, die Sensibilität und den Mangel an Hemmungen, nicht nehmen lassen, aber gleichzeitig ist er imstande, vom Registrieren der Lage auf die Ebene der Reflexion überzuwechseln. Kein zugereister Kritikaster erscheint hier, sondern einer, der selbst dazugehört. Auf der Platte *VEBiermann* fühlte sich Biermann leider dazu bemüßigt, diese Einheit zu zerstören, indem er das Lied im Nachhinein als Blödelsong zersang. Die Korrektur war nicht nötig. Auf derselben Platte singt er als Pendant dazu das auch nicht in die *Drahtharfe* aufgenommene Lied „Der 1. Stadt-Mai", in dem der Verliebte zwar „Panzerlärm" und „Reden" hört, sich aber nicht von seiner Verliebtheit ablenken läßt. (Beim Singen dieses mehr ich-zentrierten Liedes verzichtet er interessanterweise auf eine Verfremdung des Originals.) Wie beim „Ersten Mai" (später in „Der 1. Dorf-Mai" umbenannt) ist der „Kleinstadtsonntag" (20) eine Zustandsschilderung, aus der die Kritik ohne Kommentar des Verfassers erwächst. Diese Kleinstadt, die vor Langeweile trieft (unvergeßlich der Reim „Bei Rose gabs Kalb / Jetzt isses schon halb") ist auch dreizehn Jahre nach der Gründung der DDR eher vom deutsch-kleinbürgerlichen Mief geprägt als von irgendwelchen revolutionären Umwälzungen. Die gesamtdeutsche Aussage dieses Gedichts wurde 1965 – sicher zum Leidwesen der Kulturpolitiker – kräftig unterstrichen: Franz Josef Degenhardts (West-)„Deutscher Sonntag" sah dem ostdeutschen unter der Oberfläche zum Verwechseln ähnlich. (Degenhardt, 1981, 18.)

Die drei „Balladen" in dieser ersten Abteilung sind formal gesehen sehr unterschiedlich. Der Refrain ist z. B. mal kurz, mal lang, mal gar nicht da. In den Strophen werden reimlose Achtzeiler mit unregelmäßigen Rhythmen (à la Brecht), Vierzeiler mit halbem Kreuzreim und Sieben- bzw. Zehnzeiler mit einigen Reimpaaren verwendet. Daraus ist zu schließen, daß die Bezeichnung „Ballade" in diesem Rahmen keine formale Kategorie sein soll, sondern eine inhaltliche: Es handelt sich um singbare Gedichte, die eine ausgefallene Geschichte erzählen. Der Begriff „Bänkelsang" – eine Dichtungsart, die in diesem Jahrhundert von Wedekind und Brecht u. a. erneuert wurde – wäre vielleicht zutreffender. (Vgl. Petzoldt, 1982). Im Unterschied zu „Erster Mai" oder „Kleinstadtsonntag" geht Biermann hier sozusagen von Individuen mit Name und Anschrift aus: Die soziokulturelle Bestandsaufnahme wird personalisiert und dadurch intensiviert, denn die Leser/Zuhörer müssen zwangsläufig mit diesen Figuren sympathisieren oder aber sich von ihnen abgrenzen. Außerdem lehrt die Erfahrung, daß die Aufmerksamkeit des (Massen-)Publikums stark nachläßt, wenn anonyme Gestalten und Mächte im Mittelpunkt stehen.

Es besteht allerdings die Gefahr, daß die in solchen Balladen enthaltene Sozialkritik als individuelle Aberration abgetan werden kann. So ist z. B. unbestreitbar, daß dem „Drainage-Leger Fredi Rohsmeisl" Unrecht widerfährt (Gefängnisstrafe wegen verbotenen Auseinander-Tanzens), aber wenn er nach „zwölf Wochen Knast" nur noch säuft und flucht, gerät das Unrecht etwas außer acht. Da die Schlüsselverse gerade auf ihn bezogen werden, wird ihre Wirkung abgeschwächt: „Er ist für den Sozialismus / Und für den neuen Staat / Aber den Staat in Buckow / Den hat er gründlich satt." (13) Unklar bleibt, warum dieser Fredi überhaupt für den Sozialismus ist. Bei dem Lob des damaligen Tauwetters in der letzten Strophe – dem eigentlichen Zweck der Übung – ist die Titelfigur sowieso fast vergessen. In der „Ballade von den alten Weibern von Buckow" (19) findet man eine ähnliche Konstellation vor. Wenn der Staat beschimpft wird, „weil es nur am Sonn'amt / frische Fische hat", berührt die Klage der „Weiber" einen neuralgischen Punkt, nämlich die unzureichende bzw. unzuverlässige Versorgung der Bevölkerung mit Grundnahrungsmitteln. Dieser Punkt gerät aber am Schluß aus dem Blickfeld, denn man erfährt, daß der „Staat" in diesem Fall nur deshalb so unberechenbar ist, weil der junge Fischer Fiete Kohn mit einer Frau im Bett bleibt, statt für frische Fische zu sorgen. Da die Sinnlichkeit in Biermanns Gedichten als ein elementares Bedürfnis des Menschen proklamiert wird, kann man die Kritik an Fiete – und dem Staat – kaum ernst nehmen. In beiden Balladen mangelt es nicht an Lokalkolorit und saftigen Sprüchen, aber der Wille zum Arrangement mit den Mächtigen rückt die lyrische Begabung manchmal in ein schiefes Licht. Biermann selbst wird nur in der „Ballade von der Buckower Süßkirschenzeit" zur Hauptgestalt, die Erlebnis und Betrachtung bzw. Kritik in sich vereint. (Es ist normalerweise problematisch, das lyrische Ich mit dem Ich des Lyrikers gleichzusetzen, aber bei Biermann ist Erlebnisdichtung eher die Regel als die Ausnahme.) Die Grundidee ist eine sehr einfache: Die Bauern von der LPG übertragen den – sozialistischen – Begriff des Volkseigentums auf ihre Töchter, in dieser Weise das Neue mit dem Alten (dem Patriarchat) versöhnend. Der Gast („jung und schön") aus der Stadt kann mit diesem faulen Kompromiß nichts anfangen, was zum Streit führt. Die Bauern werden der Lächerlichkeit preisgegeben, die kollektivierte Landwirtschaft aber nicht. Der ostdeutsche Adonis genießt die gelungene Provokation und scheint auch sonst recht zufrieden zu sein. Von Himmelsstürmerei ist man hier noch weit entfernt, von gereiftem poetischem Können aber nicht: Die erste Strophe, die Van-Gogh-Motive (mitsamt einer versteckten Trikolore) verwendet, ist ein Beispiel dafür, wie man ein Bild mit ganz einfachen Mitteln heraufbeschwören kann: „Die kleine Kammer unterm Dach / hat Bett und Stuhl und Tisch. / Die Dielen rot und blau die Wand, / das Laken weiß und frisch." (15) Der ‚Nachgeborene' hat sich in Brechts Buckow häuslich eingerichtet, und die Ängste und Enttäuschungen des Älteren fehlen. Noch.

Die „Portraits" befassen sich mit vorbildlichen Menschen, mit denen sich der Dichter identifiziert oder solidarisiert. Drei Texte scheinen Gedichte zu sein, da keine dazugehörigen „Notenbeispiele" mit abgedruckt werden. Dem ist aber nicht so: „Herr Brecht" taucht bei *VEBiermann* als Lied auf, und das „Barlach-Lied" wird auf der Neuss-Platte gesungen. Man könnte den Eindruck haben, daß gewisse Verse erst einige Zeit nach der Entstehung vertont werden, aber das kommt anscheinend kaum vor. Biermann beschreibt den Arbeitsprozeß so: „Meistens (schreibe ich) zuerst den Text, und wenn ich dann mit der Musik gegen ihn angehe, stellt sich schnell heraus, ob er überhaupt was taugt. Wenn der Text selber keine Substanz hat, läuft die Musik durch ihn durch, er hält dem Widerspruch nicht stand." (I&G 1972) Um diese Regel besser zu veranschaulichen, redet er von einer – berühmten – Ausnahme: „Manchmal geht es auch umgekehrt. Beim Lied ‚Soldat, Soldat in grauer Norm...' habe ich zuerst die Musik gemacht – und die hat sich dann den Text fast von selbst dazugeschrieben. Das ergab einen Grad von Übereinstimmung, der vielleicht auf den ersten Blick sehr wirksam ist, mich aber schon langweilt." (ebd.) Diese Langeweile markiert den Abstand zu Eisler, denn neben der „Ermutigung" ist „Soldat Soldat" vielleicht das einzige Biermann-Lied, das fast zum Volkslied geworden ist. Biermann strebt eine Wirkung an, aber keine billige: Der Zuhörer soll sich ruhig ein bißchen anstrengen. (Man erinnere sich, wie oft Biermann die Fans verhöhnt, die seine Evergreens als ‚Polit-Schnuller‘ benutzen wollen.) Wer Anstrengung fordert, rechnet nicht mit Breitenwirkung, und deshalb bedarf Biermanns spätere Beteuerung, er wolle aus dem „linken Pißpott" herauskommen, der Interpretation: Diese Absicht bedeutet nämlich keinen Abschied vom (relativ) gebildeten Publikum (trotz aller angestrebten Volkstümlichkeit).

Zurück zu den „Portraits". In der *Drahtharfe* kommt es nur zu einer Teilausstellung, was die meisten aber erst 1988 erfahren. *VEBiermann* liefert eine ganze Reihe von anderen Portraits, die der Künstler einst lieber nicht an die (West-)Wand hängen wollte. Die „Kinderlieder", die „die guten Sozialisten" loben, berichten vom Leben einer Verkäuferin, eines Hausarztes, eines Verkehrspolizisten und eines Funktionärs. Das sind keine ‚Bonzen‘, sondern kleine Leute, die unter widrigen Umständen das Beste aus dem neuen System machen. Über das Wesen dieser Umstände wird indessen fast nichts gesagt. (Bei seiner Tirade gegen Biermann im Dezember 1965 empörte sich Klaus Höpcke, damals Kulturredakteur des *Neuen Deutschland,* u. a. darüber, daß gerade diese Lieder in der Buchausgabe fehlten.) Bertolt Brecht und Hanns Eisler stehen in der *Drahtharfe* nebeneinander, und beiden wird ein Denkmal gesetzt, wenn auch auf verschiedene Weise. Der „Herr Brecht" (23), der 1959 aufersteht, gebärdet sich gar nicht wie der zahnlose Klassiker, den sich die Kulturpolitiker zurechtzimmern wollen. Seine hinterlassenen Schriften bezeichnet er schlicht als „Ramsch". Er wird als „unverschämtbescheiden" charakterisiert, was daran gemahnt, wie Biermann von Robert Havemann spricht (und eventuell auch sich selbst meint). Der lakonische Stil ist eine Hommage an den reifen Meister. In „Hanns Eisler oder Die Anatomie einer Kugel" (24) ist Brecht auch präsent, obwohl er nicht genannt wird. Die „Kugel" ist Eislers „fröhlicher Bauch", der sowenig gespalten ist wie seine „Zunge" oder sein „Gehirn". In einem Gedicht hatte Brecht Charles Laughtons Bauch bewundert, und auch die Figur des chinesischen Glücksgotts stellte stolz diesen

Körperteil zur Schau. Als Brecht-Kenner hatte Biermann wahrscheinlich die Verse aus „Ich bin der Glücksgott" (1941) im Sinn, als er Eisler porträtierte: „Ich bin der Glücksgott, sammelnd um mich Ketzer/ Auf Glück bedacht in diesem Jammertal ..." In den frühen sechziger Jahren war es ein Wagnis, die beiden Freunde und Kollegen als Vertreter von Skepsis und Vitalität hinzustellen, und diese Kombination auch noch als nachahmenswert zu empfehlen. Genauso unerwünscht war es, mit einem Hinweis auf den lange wegen seines Pessimismus verfemten Bildhauer und Schriftsteller Ernst Barlach eine apokalyptische Stimmung heraufzubeschwören. Das „Barlach-Lied" kann als eine Art Rückblende aufgefaßt werden (Mutter und Sohn im Hamburger Feuersturm), aber es läßt sich auch als Artikulation der empfundenen Bedrohung in der sozialistischen Gegenwart lesen. Der Rückzug in die Privatsphäre, die in Goethes „An den Mond" noch denkbar war, ist keine Alternative mehr. (Biermann schrieb dieses Lied – zu der Melodie von „O Haupt voll Blut und Wunden" – ursprünglich für eine DEFA-Verfilmung von Franz Fühmanns Novelle „Ernst Barlach in Güstrow." Erst wurde das Lied gestrichen, dann der Film verboten. Vgl. *KiG*, 144 f.)

Im Gegensatz zu solchen ‚problematischen' Texten haben die Lieder „Genosse Julian Grimau" und „Die Ballade von dem Briefträger William L. Moore aus Baltimore" den Kulturpolitikern kein Kopfzerbrechen bereitet. Im einen wird der Anti-Franco-Kampf des Vaters, dem kein Erfolg beschieden war, weitergeführt, und im anderen engagiert sich Biermann für die antirassistische Bürgerrechtsbewegung in den USA. Die schlichte Totenklage um den 1963 hingerichteten Kommunisten Grimau läßt die DDR ‚friedlicher' erscheinen, als sie zu der Zeit war, was kaum die Absicht des Verfassers war (eine ähnliche Konstellation findet man in Volker Brauns Gedichtband *Wir und nicht sie*). „William L. Moore" liefert kein typisches Bild der Konflikte in den USA – die meisten Bürgerrechtler waren keine weißen Einzelkämpfer, die ohne Kontakt zur breiten Bewegung demonstrierten –, aber das Lied ist im Rahmen des Gesamtwerks interessant, weil es den einzigen Versuch des Sängers darstellt, im Strom des amerikanischen Protest-Songs zu schwimmen. Die gesungene Version (vgl. *VEBiermann*) klingt so, als würde Biermann das Lied von einem US-Kollegen vortragen (das ist nicht als Kritik gemeint), und Joan Baez nahm es tatsächlich in ihr Repertoire auf. (In der Übersetzung von Eric Bentley ist das Ganze auch packender, und nicht nur deshalb, weil der Binnen-‚reim‘ „black/weg“ entfällt.) Offensichtlich hängt Biermann noch an diesem frühen Werk: Er singt es 1988 ohne ironische Brechung, und im Textheft empfiehlt er es als Beitrag zum Abbau von Ausländerfeindlichkeit in der BRD. Die Tatsache, daß auch „die verstocktesten Stalinisten“ von dem Lied begeistert waren, solle es uns nicht „vergällen“, denn: „Die Bonzen sind nicht das Maß unserer Dinge.“ Bei diesem – m. E. überflüssigen – Rechtfertigungsversuch fällt einem ein, daß kein westdeutscher Kritiker im Zusammenhang mit der Kontroverse um Christa Wolf und andere DDR-Schriftsteller (1990) Biermann die Vorwürfe machte, die in diesem Textheft vorsorglich entkräftet werden sollten.

Zur ‚Visitenkarte‘ des frühen Biermann, ja zu einem der meistdiskutierten Texte überhaupt ist die „Ballade auf den Dichter François Villon“ geworden. Die kollegiale, sogar kumpelhafte Beziehung zum spätmittelalterlichen Vagantendichter – die Brecht u. a. in der *Dreigroschenoper* vorexerziert hatte – hat die Kritiker je nach politischem Standort entzückt oder erschreckt. Der „poète truand“ (dichtende Verbrecher), der Sinnlichkeit mit Sozialkritik, Vorliebe für Vulgäres mit Schönheitssinn verband, gehört, milde gesagt, nicht in die Ahnenreihe des Sozialistischen Realismus. (Zur Debatte um Villons Identität vgl. Frank-Rutger Hausmann, 1988, 8 f.) In achtzeiligen Strophen, wie sie Villon in seinem *Kleinen* und *Großen Testament* einsetzte (bei Biermann sind es doppelte Volksliedstrophen), wird erzählt, wie der DDR-Sänger mit dem Franzosen das Schicksal des verfolgten Dichters teilt. Die vielen Details aus dem Leben des Vorgängers – Ärger mit der „dicke(n) Margot“, Anbiederung bei den „höchsten Herrn“, Bittgesänge u. s. w. – lenken davon ab, daß Biermann im Grunde ein Selbstporträt zeichnet, auch und gerade dann, wenn er vom „großen Bruder“

redet, z. B. im Refrain am Schluß von Teil 3: „Zwar hat man ihn als Kind gelehrt / Das hohe Schul-Latein / Als Mann jedoch ließ er sich mehr / Mit niederm Volke ein." (33) In einem Interview hört sich das so an: „Ich bin ... ein Exemplar von Volk, auf dessen Bildung man viel Mühe verwandt hat, aber das hat mir die Sprache nicht zerstört ... Ich bin kein Theoretiker geworden, Gottseidank, obwohl man viel Theorie in mich hineingepumpt hat." (I&G 1974 a, 22 f.) In der Ballade erhält man Zugang zu einem Bohemien-Milieu, wie es zumindest bis 1933 in beinahe jeder europäischen Großstadt existierte. Nicht dieses Künstler-Leben ist neu, sondern der Kontext: Die Männer von der Staatssicherheit schnüffeln herum, und Villon narrt die Grenzer mit seinen nächtlichen Spaziergängen auf der Mauer. Außenseitertum und Erotik, liiert mit politischer Provokation, sorgen für Zündstoff. Man sollte diese Frechheit aber nicht überbewerten: War sie damals so provokativ, so ist das letzten Endes darauf zurückzuführen, daß sie eine isolierte Erscheinung war. In der miefigen Stille echote jede Äußerung durch das ganze Land. Die „Villon-Ballade" sollte nicht das Oberste zuunterst kehren, sondern den Mächtigen einen heilsamen Schrecken einjagen. Diese verwechselten Till Eulenspiegel mit Prometheus, weil sie jede Spur von Spontaneität – bis zum Herbst 1989 – als eine tödliche Gefahr betrachteten. Die Folgen sind bekannt.

In der Abteilung „Berlin" dankt der freche Villon-Kumpel zugunsten des verwundbaren bzw. verliebten Lyrikers ab. Der Kontrast ist streckenweise so stark, daß man sich fragt, ob die Verse eines anderen aus Versehen in den Band aufgenommen wurden. Die Liebe zur vermenschlichten Wahlheimat Berlin (vgl. die „Hammonia" im *Wintermärchen*) ist genauso intensiv wie die Beziehung zur – jeweiligen – Geliebten. Die späteren Liebeslieder auf der gleichnamigen Platte sind viel stärker in den politischen Zusammenhang eingebettet als diese noch naiven Gefühlsäußerungen. Das Eingangsgedicht „Himmelfahrt in Berlin" kann es z. B. mit den unvergleichlichen Milieustudien Heinrich Zilles durchaus aufnehmen: Auf dem Hinterhof begegnet man „dicken Frau'n" und spielenden Kindern, und nur zwei Worte verraten, daß man sich in der DDR befindet (es heißt

„Volkspolizist" statt „Gendarm" und „Kosmonaut" statt „Astronaut"). Die Väter unternehmen wohl eine Herrenpartie ins Grüne, was bis 1967, als der Feiertag in der DDR abgeschafft wurde, noch ging. Derjenige, der dieses Bild skizziert, fühlt sich offensichtlich zu Hause. Das gilt auch für den Liebhaber, der seine „Mietskasernenbraut" im sechsten Stock aufsucht. Wie im Märchen muß er eine Probe bestehen, um seine Liebe unter Beweis zu stellen. Statt wie einst einen Turm zu besteigen oder eine Dornenhecke zu überwinden, muß er „hundert Stiegen" hinter sich bringen: „Wenn Dich das nicht müde macht, / darfst Du bei ihr liegen." (42) Ist es in diesem Großstadtmärchen die Frau, die sich nach einer festen Bindung sehnt, so ist es in „Brigitte" der Mann, der ruhelos umherstreift, weil er seine Geliebte nicht finden kann. Bemerkenswert ist dabei der absolut private Charakter dieses Gedichts: Der Liebeskummer verdrängt alle anderen Regungen. (In den 80er Jahren sollte das – in abgewandelter Gestalt – wieder der Fall sein.) Manches andere in dieser Abteilung ist weniger gelungen, aber „Berlin" ist als Ausdruck des damaligen Lebensgefühls unübertroffen. Die Volksliedstrophen mit Kreuzreim handeln von Glück und Elend zugleich. Der „Freier" führt zunächst lauter Negativa an, um dann zu gestehen, daß er diese „deutsche deutsche Frau" nie verlassen könnte. Eigentlich könnte man meinen, die äußeren Bedingungen wären nicht dazu angetan, diese große Liebe zu fördern („... Im Westen steht die Mauer / Im Osten meine Freunde stehen, / Der Nordwind ist ein rauher."), aber das Gegenteil ist der Fall: In diesem einmaligen Berliner Himmel hängt die „Leier" des Sängers, den der Genius loci inspiriert. Nach der Lektüre dieses Gedichts kann man ahnen, warum Biermann vor der Ausbürgerung sagte, er würde im Westen aufhören zu schreiben.

Inmitten der verschiedenartigen Liebeserklärungen ist ein kleines Gedicht versteckt, das sich als Übergang zu den viel aggressiveren Tönen der letzten Abteilung geeignet hätte. Der erste Teil ist wieder ein Genrebild wie etwa „Himmelfahrt" oder „Kleinstadtsonntag", bloß diesmal in der ersten Person. Der schlafende Vater wird von einem „groben Klingler" geweckt, der sich als der Sohn entpuppt, der Milch geholt hatte. Die Wut des Aufgestörten legt sich wieder. Diese kleine Episode dient dann als Grundlage für den spruchartigen zweiten Teil: „Die Zufrühgekommenen sind nicht gern gesehn. / Aber ihre Milch trinkt man dann." (49) Das Gedicht trägt den Titel „Frühzeit", und beim Schreiben konnte Biermann nicht voraussehen, daß er bis zu seiner Ausbürgerung das Stigma des „Zufrühgekommenen" nie würde loswerden können. (Die im Lande Gebliebenen teilten dieses Schicksal bis zum Herbst 1989.) Bei den „Beschwichtigungen und Revisionen" spielt er die Rolle des Sohnes, und die SED-Funktionäre treten als aus dem (politischen) Schlaf Gerissene auf, allerdings mit dem bedeutenden Unterschied, daß diese ‚Väter' für den Eifer des Nachwuchses kein Verständnis aufbringen und – schließlich – zum Prügelstock greifen. Wer sind nun diese Funktionäre, und warum strebt der Nachgeborene den Dialog mit ihnen an?

Es scheint genaugenommen zwei Arten von führenden Genossen zu geben. Beiden ist gemeinsam, daß sie sich im Kampf gegen Ausbeutung und Faschismus bewährt haben: So haben sie „einst vor Maschinengewehren mutig bestanden" (53) und das „Glück des Kampfes hinter Stacheldraht" gekostet (67). Diese Zeiten sind jedoch längst vorbei, und Biermann erhebt nun in der Periode nach dem Mauerbau zwei Hauptvorwürfe gegen sie. Die eine Gruppe hat sich durch den Umgang mit der uneingeschränkten Macht schlicht und einfach korrumpieren lassen: Die „Büroelephanten" (53) verteidigen verbissen ihre Privilegien („Euer Antlitz, ach das edle / verformt sich über Trögen" – 63). Die andere Gruppe kann nicht einsehen, daß die alte Machtfrage (‚Wer wen') nicht das A und O des Sozialismus ist: „Die Gegenwart, euch / Süßes Ziel all jener bitterer Jahre / Ist mir der bittre Anfang nur, schreit / Nach Veränderung." (67) Die neue Generation, die eigene Vorstellungen von den nächsten Schritten hegt, muß immer wieder die Erfahrung machen, daß Unterordnung (die Biermann nicht grundsätzlich ablehnt) mehr gilt als Eigeninitiative. Biermann war ja nicht der einzige, dessen Mitarbeit zu dieser Zeit unerwünscht war, was sich aus den Gedichten seiner Kollegen ablesen läßt. Der zwei Jahre ältere Rainer Kirsch schrieb z.B. 1962 das Gedicht „Meinen Freunden,

den alten Genossen", in dem er zu erklären versuchte, warum er und seine Mitstreiter so ungeduldig waren. Das alte Feindbild der Antifaschisten sei nunmehr verschwommen, und der Selbstverwirklichung würden unnötige Hindernisse in den Weg gelegt: „... Glück ist schwer in diesem Land." Am Schluß heißt es: „Und die Träume ganz beim Namen nennen; / Und die ganze Last der Wahrheit kennen." (Kirsch, 1978, 204). In diesem elegischen Sonett wird nicht so sehr angegriffen als getrauert. Bei Volker Braun (geb. 1939) scheint die vorpreschende Jugend keine Hindernisse wahrzunehmen bzw. wahrnehmen zu wollen. In „Anspruch" (auch 1962 entstanden) bittet man um gar nichts. Man fordert die ‚alten Genossen' heraus, indem man einen eigenen Lagebericht vorlegt: „Kommt uns nicht mit Fertigem! Wir brauchen Halbfabrikate.... Hier wird täglich das alte Leben abgeblasen. ... Hier wird Neuland gegraben und Neuhimmel angeschnitten ..." (Braun, 1965, 8.) Dieser burschikose Aktionismus sollte sich jedoch bald als ein Fehlschlag erweisen, und Braun tut diese Verse längst als die Ergüsse eines Naiven ab.

Nicht nur der neostalinistische ‚Sozialismus' im allgemeinen, sondern auch die restriktive Kulturpolitik im besonderen fand Biermann damals zum Verzweifeln. Ist die Unterdrückung von spontanen Regungen beim Normalbürger einigermaßen bis höchst unangenehm, so ist sie für den Künstler eine Katastrophe. Dieser Sachverhalt kommt in der „Tischrede des Dichters" ausführlich und leidenschaftlich zur Sprache. Hier erscheint der Sänger als Koch, der beleidigt ist, wenn diejenigen, die sich an seinen Tisch setzen, nur satt werden wollen, egal wie. Die Vielfalt der Gaumenfreuden reizt diese „Fresser" nicht, wohl deshalb, weil die Rezepte nicht von ihnen stammen – man will schließlich im voraus wissen, was man vorgesetzt bekommt! In der Sprache der Kochkunst – ein genialer Einfall (vgl. Grass) – geht es gegen den Alleinvertretungsanspruch des ‚Sozialistischen Realismus'. Statt einer mit Phantasie und Sinnenfreude zusammengestellten ‚Speisekarte' – man übersehe nicht die Provokation, manche Dinge (z.B. Ananas, Oliven, Spargel) darauf zu setzen, die in der DDR kaum erhältlich waren – verlangen die Genossen einen „Glückseintopf", der von den „schlechten

Köchen" zubereitet wird (63). Als Chef de cuisine will Biermann nicht nur darauf verzichten, den Zucker (der Ideologie) überall hinzustreuen: er insistiert, daß man ohne „den bittren Tropfen" nicht auskommt. Das Paradies, das in den Reden und Zeitungen angeblich schon da ist, ist also einerseits eine Fiktion, andererseits gar nicht erstrebenswert. (Das soll ein ‚Utopist' sein?) Erstaunlich ist nur, daß es nach dieser ausgedehnten Philippika unerwarteterweise zu einer versöhnlichen Geste kommt. Die Genossen, jetzt auch „meine Freunde" genannt, werden trotz allem eingeladen: „... Vergeßt meine Worte zunächst, und kommt / Wir wollen essen und hernach / auch noch ein bißchen singen." (64) Unwillkürlich fragt man sich: Auf welche Lieder könnten sie sich einigen? Alte Arbeiterlieder? Lieder aus dem Spanischen Bürgerkrieg? Wo wäre die Verständigungsbasis? Entweder gibt sich der Dichter Illusionen hin, oder er hält inne, weil er auf einmal eine heraufkommende Gefahr spürt. Letzteres geschieht jedenfalls im „Selbstportrait an einem Regensonntag in der Stadt Berlin" (übrigens ein schöner Beitrag zur Gattung ‚Großstadtlyrik'), dessen Schlußverse lauten: „... die große nasse Stadt leckt sich die Lippen / Nach dem wohlverdienten Sonntagsbraten Biermann" (75). Kurze Zeit nach dem Erscheinen der *Drahtharfe* stellte sich heraus, daß diese Vision leider nicht realitätsfern war.

Dem Großangriff im Dezember 1965 ging die Rezeption im Westen voraus. Zu den Schlüsseltexten gehörten die Rezensionen von Alfred Starkmann in der *Welt* vom 25. 11. und Sabine Brandt in der *FAZ* vom 23. 11.. Starkmann ging es vor allem darum, Biermann den Status des Dichters zuzuerkennen. Er fragte sich, wie die Verse „ohne die Suggestion von Stimme und Melodie" bestehen und antwortete: „Deutschland (!) hat wieder einen politischen Lyriker." Obwohl einige versucht hätten, diesen als „Kabarettisten und politischen Pamphleten (sic!) abzutun", besitze er den „Rang eines wirklichen Dichters". Starkmann verhehlte nicht, daß sich dieser Dichter als „überzeugten Kommunisten" betrachtete, der nur gegen „Heuchelei und Verlogenheit in Staat und Partei" angehe. Einen ‚kommunistischen Dichter' konnte er sich also – zumindest im Osten – ohne weiteres vorstellen. Brandt ging ganz anders vor: Sie bezeichnete Biermann als den einzigen Autor, „der die Spaltung als einen Schmerz des ganzen Volkes empfindet ..." Von seinen politischen Überzeugungen (Stichwort: Kämpfer gegen das Unrecht, wo man ihm auch begegne) redete sie eher nebenbei, das Gesamtdeutsche betonend. Literarisch gesehen stellte sie ihn als einen Vertreter der „politisch-satirischen Lyrik" vor, die „bei uns zulande niemals recht heimisch war". Dabei grenzte sie ihn von der „Rabiatenlyrik der SED-Protegés Volker Braun und Rainer Kirsch" (einer Lyrik, die sie offensichtlich nicht sehr gut kannte) ab. Brandt äußerte die Hoffnung, man werde sich in Zukunft mit dem „Dichter" Biermann befassen und weniger der „Kabarett-Attraktion" zujubeln. (Der Subtext: Die Kritik des Mannes ist ernst zu nehmen.) Hie verfolgter Dichter, da Unrechtsregime: Das konnte nicht unwidersprochen bleiben.

Bereits im Juni hatte Biermann nicht auf den 7. Arbeiterfestspielen in Frankfurt/Oder auftreten dürfen, obwohl ein Vertrag vorlag. Ende Oktober verhinderte die Polizei dann seine Teilnahme an einem „Jazz- und Lyrik"-Abend in der Ostberliner Kongreßhalle. Er war also de facto isoliert, als man ihn öffentlich attackierte. Der spätere „Bücherminister" Klaus Höpcke, der bis 1990 die SED-Kulturpolitik mitprägen sollte (er will sich lange für unbequeme Schriftsteller eingesetzt haben), warf den ersten Stein. Am 5. 12. veröffentlichte das *Neue Deutschland* seine Polemik „... der nichts so fürchtet wie Verantwortung. Über ,Antrittsrede' und ,Selbstporträt' (sic!) eines Sängers". Vom Titel her konnte man Literarkritisches erwarten, aber da täuschte man sich. Höpcke will den Beweis erbringen, daß einer, der von den Feinden der DDR (z. B. der *FAZ* und der *Welt*) gelobt wird („ein tätschelndes Streicheln von monopolbourgeoiser Kritikerhand") ein Feind des Sozialismus sein muß. Statt „sachlich" zu analysieren, wie er es verspricht, wendet er sich den Biermann-Texten kaum zu. Statt dessen wirft er mit Begriffen um sich, die oft zur Verwendung kamen, wenn der Machtanspruch der SED – angeblich – in Frage gestellt wurde: „Verachtung" des Volkes, „anarchistische Philosophie", „Anhänger der Spontaneität", „Positionen ideologischer Koexistenz", „Skeptizismus" und „bürgerlicher Individualismus". (Wissen die Leser wirklich, was damit gemeint ist, oder sind das für sie einfach Synonyme für „Feind"?) Speziell auf Biermann gemünzt, konstatiert Höpcke eine Annäherung an die „Übermenschenideologie eines Nietzsche" und „ins Pornographische hinübergleitende Passagen". Jenseits von solchen Vorwürfen wird es auch persönlich: Biermann werde „dem Vermächtnis seines Vaters untreu", der „als Antifaschist im Konzentrationslager ermordet wurde". Angesichts einer derartigen Schmährede im Zentralorgan der SED ist es fast unglaublich, daß Biermann auf freiem Fuß blieb. Es war wohl nur die antifaschistische Haltung seiner Familie, die ihn vor einer längeren Gefängnisstrafe bewahrte. Viele ‚alte Genossen' – u. a. Erich Honecker – hatten den eigenen Aufenthalt im Nazi-Zuchthaus bzw. KZ nicht vergessen. (In vielen anderen Fällen waren sie, und das muß betont werden, gar nicht zimperlich.) Es muß einen aber erschüttern, wenn man nachliest, was Rulo Melchert – im Auftrag ebendieser alten Antifaschisten – am 11./12. 12. unter der Überschrift „Wir dulden keinen Schmutz, auch nicht Schmutz in Versen" in der *Jungen Welt* schrieb. Melchert benutzt nicht nur Worte wie „schmutzig", „unanständig" und „pornographisch", sondern scheut sich auch nicht davor, Biermanns Gedichte und Lieder als „Abfall" zu bezeichnen. Da ist Goebbels nicht mehr weit.

Daß Biermann eigentlich nur die – wenn auch wegen seines Bekanntheitsgrads in Ost und West weithin sichtbare – Spitze des Eisbergs war, wurde auf dem „berüchtigte(n) 11. Plenum" des ZK der SED (Jäger, 1982, 115) vom 16.-18. Dezember deutlich. Im Bericht des Politbüros wiederholte Erich Honecker im Grunde Höpckes bereits gedruckte Vorwürfe gegen Biermann, einschließlich der Hinweise auf den „spießbürgerlich-anarchistischen Sozialismus" und den ‚Verrat' am Vater. (Schubbe, 1972, 1078; auch die folgenden Zitate aus diesem Band.) Gravierender war wohl die Behauptung, Biermann sei eine Art ferngesteuerter Wühler: „Biermann wird systematisch vom Gegner zum Bannerträger einer sogenannten literarischen Opposition der DDR, zur Stimme der ‚rebellischen Jugend' gemacht." (ebd.) Die DDR, „ein sauberer Staat", werde von den „Einflüsse(n) der kapitalistischen Unkultur und Unmoral" bedroht. (1076) Auch hinter der Mauer wollte die Führung ihre Wachsamkeit nicht aufgeben – im Gegenteil. Dabei maß man den Kreisen in der DDR selbst, die einen andersgearteten Sozialismus anstrebten, vielleicht mehr Bedeutung zu als der ‚kulturellen Kriegsführung' des Westens. So kritisierte Honecker Biermann *und* Stefan Heym, und Paul Verner redete so, als sei es längst erwiesen, daß „Leute wie Biermann, Havemann, Heym und einige andere" gegen den Aufbau des Sozialismus in der DDR handelten (1112). In einer langen Rede vor dem Vorstand des Schriftstellerverbandes am 12. 1. 1966 nannte der Lyriker Max Zimmering diese drei Namen wieder in einem Atemzug, und er wußte sie auch historisch einzuordnen: „Nicht zum erstenmal wurde der Marxismus im Namen eines ‚geläuterten' Marxismus ‚widerlegt'." (1126) Ähnliches versuchte Wilhelm Girnus Peter Weiss klarzumachen, der sich – wie Heinrich Böll – mit Biermann solidarisiert hatte: „... die Angelegenheit Wolf Biermann ... ist primär doch keine literarische, sondern eine rein politische Frage." (1120) Um zu verstehen, warum Biermann von 1965 bis zu seiner Ausbürgerung 1976 mundtot gemacht werden sollte, muß man sich mit dieser „politischen Frage", d. h. mit dem sogenannten ‚geläuterten Marxismus' beschäftigen.

Spätestens seit dem Streit um die Ansichten Eduard Bernsteins in den 90er Jahren des vorigen Jahrhunderts ist der „Revisionismus" in der sozialistischen Bewegung ein wichtiger Begriff, dessen Definition sich im Laufe der Zeit gewandelt hat. Die ‚Lehre', die man angeblich revidierte, ist auch nicht die gleiche geblieben. So ist behauptet worden, die Revisionisten hätten sich von Marx und Engels, später vom Marxismus-Leninismus, zeitweilig auch von Stalin entfernt. Aus offizieller DDR- bzw. SED-Sicht versucht der Revisionismus, den Marxismus „durch bürgerliche Anschauungen" zu verwässern; er fordere mehr „bürgerlich-demokratische Rechte und Freiheiten" und propagiere eine Konvergenz zwischen Kapitalismus und Sozialismus in einer „einheitlichen ‚Industriegesellschaft' „. Statt des „wissenschaftlichen Kommunismus" solle ein „ ‚echter', ‚demokratischer', ‚humaner' Sozialismus" entstehen. (*Kleines politisches*

Wörterbuch 1978, 768 f.) Die Anführungszeichen sprechen eine deutliche Sprache: In der DDR sei der Sozialismus bereits das, was die Revisionisten erkämpfen wollten: demokratisch, menschlich und auch frei von der Entfremdung, die das Leben in den kapitalistischen Ländern kennzeichne. Nach den Ereignissen von 1989/90 erübrigt sich eigentlich jeglicher Kommentar zu diesem Wunschbild, aber in Sachen Biermann kommt man ohne einen kurzen Rückblick nicht aus.

Schon in den 40er Jahren ging man sowohl gegen die Sozialdemokratie (Zwangsvereinigung von KPD und SPD) als auch gegen die – kurzzeitig geduldete – These vom „besonderen deutschen Weg zum Sozialismus" (Anton Ackermann u. a.) vor. Der Aufstand am 17. Juni 1953 entzündete sich weniger an gesellschaftlichen Modellvorstellungen als an erhöhten Arbeitsnormen, aber im Zuge der – zumindest erhofften – Entstalinisierung infolge von Chruschtschows Geheimrede auf dem XX. Parteitag der KPdSU im Jahre 1956 dachten viele Intellektuelle darüber nach, wie die Partei von innen zu reformieren wäre. Ernst Bloch verwies z. B. in seiner Hegel-Rede vom 14. 11. 1956 auf die negativen Auswirkungen des „Vulgär-Marxismus" und mahnte: „Uns helfen keine roten Oberlehrer fern vom Leben, keine Papier-Ästhetik fern von Kunst, kein Philosophieren fern von Philosophie." (Zit. nach Grebing, 1977, 160.) Blochs Schüler Gerhard Zwerenz und Günther Zehm setzten sich in publizistischen Arbeiten für eine Erneuerung des Marxismus im Sinne ihres Lehrers ein. Der Professor und Cheflektor des Aufbau-Verlags Wolfgang Harich erarbeitete mit Gleichgesinnten (Brecht soll mit der Gruppe sympathisiert haben) eine „Plattform", die die Errichtung des Sozialismus in einem wiedervereinigten Deutschland im Bündnis mit der SPD vorsah. Die „Stalinisten" sollten aus der Partei ausgeschlossen, Geistesfreiheit und Rechtssicherheit wiederhergestellt und der Führungsanspruch der SED abgeschafft werden. (Bis auf den ersten Punkt (?) also genau das, was 1989/90 geschah). Statt Reformen kam es zu einem Prozeß, bei dem Harich, Walter Janka, Gustav Just u. a. zu Zuchthausstrafen verurteilt wurden. Der Schriftsteller Erich Loest wurde 1957 inhaftiert. Bloch wurde zwangsemeritiert und blieb 1961 im Westen. Auch Zwerenz und Zehm gingen in die Bundesrepublik.

Der Naturwissenschaftler Robert Havemann (1910–1982) äußerte sich 1956 auch kritisch zur Entwicklung in der DDR, aber er blieb zunächst ungeschoren. 1959 bekam er sogar noch den Nationalpreis der DDR, und das *Neue Deutschland* beglückwünschte den Antifaschisten und angesehenen Wissenschaftler am 11. 3. 1960 zum 50. Geburtstag. Die Schonfrist lief jedoch ab, als Havemann 1963/64 an der Humboldt-Universität die Vorlesungsreihe „Naturwissenschaftliche Aspekte philosophischer Probleme" hielt, die 1964 unter dem Titel *Dialektik ohne Dogma?* bei Rowohlt erschien. (Ein zeitgenössisches Foto zeigt Wolf Biermann als einen der 1000 aufmerksamen Zuhörer im Saal.) Der Chemiker erörterte den ethischen Humanismus des jungen Marx, betonte die Bedeutung der Spontaneität, analysierte die Entfremdung des Menschen im undemokratischen Sozialismus und beleuchtete das Verhältnis von Freiheit und Notwendigkeit – allerdings nicht im Sinne der Partei-Dogmatiker, die den Hegel-Spruch von der Freiheit als „Einsicht in die Notwendigkeit" (jahrelang eine ubiquitäre Plakat-Parole in der DDR) für ganz andere Zwecke verwendeten. In einer Notiz zu diesen Vorlesungen legte Havemann Wert auf die Feststellung, daß er „ein kommunistisches Buch" vorlege, aber er fuhr fort: „Nur durch den Zweifel am Alten überwinden wir das Alte und bewahren uns doch seinen Reichtum, und nur durch den Zweifel am Neuen gewinnen wir das Neue und erhalten es am Leben." (Havemann, 1990, 54; zu den Vorlesungen vgl. Grebing, 1977, 172 ff.) Es war nur folgerichtig, daß der populäre Professor 1964 aus der SED ausgeschlossen wurde, nicht mehr lehren durfte und auch als Forscher Berufsverbot bekam. Nach dem 11. Plenum war er genauso isoliert wie Wolf Biermann.

Ohne die Gedanken eines Gelehrten mit den Bildern eines Lyrikers vergleichen zu wollen, kann man eine weitgehende – wenn auch nicht absolute – Affinität zwischen Havemann und Biermann konstatieren. In den Westmedien wurden sie mit der Zeit zu reformkommunistischen Zwillingsbrüdern (obwohl manche in ihrer Beziehung eher ‚Vater' und ‚Sohn' sahen), was sich mit der Auffassung des Politbüros deckte. Die SED-Führung assoziierte Biermann nicht nur mit Havemann, sondern auch mit dem unbequemen Hanns Eisler und damit mit dessen Freund und Mitarbeiter Bertolt Brecht, der den Orthodoxen auch als Unzuverlässiger gegolten hatte. Biermann war potentiell aber der ‚Gefährlichste' von allen, da sein gewähltes Medium, das elektronisch verbreitete Lied, anders als Theaterstücke oder gar philosophische Abhandlungen für eine Massenrezeption geeignet war. Die Mischung aus kritischem Gedankengut und gefühlvollem, ja leidenschaftlichem Vortrag war zu explosiv, als daß man nichts gegen sie hätte unternehmen können. Das Totschweigen im Osten ging allerdings Hand in Hand mit einer wachsenden Berühmtheit im Westen. Im Zeitalter der beliebigen Reproduzierbarkeit des Gesangs war die merkwürdig inkonsequente Knebelungsstrategie – Auftrittsverbot in der Öffentlichkeit und Druckverbot einerseits, Tonbandgerät und West-Besucher in der Privatwohnung andererseits – von vornherein zum Scheitern verurteilt. Die verordnete Isolation hinterließ zwar Spuren beim Menschen und Künstler Biermann, aber der „staatliche Knebel" im Munde wurde zum „Mikrofon" (I&G 1972).

II. Die Jahre der Isolation (1965–1976)

Das Land ist still. Noch.

Nach der SED-Polemik gegen Biermann erschienen unzählige Artikel über die ganze Affäre in westdeutschen Zeitungen. Aufmerksamkeit und Publizität in diesem Ausmaß hat der Liedermacher seitdem nur noch einmal genossen, und zwar zur Zeit seiner Ausbürgerung. (Über die lange ersehnte Rückkehr in die DDR Ende 1989 wurde schon ausführlich berichtet, aber das geschah eher am Rande der Berichterstattung über die politischen Umwälzungen.) Um einen Eindruck davon zu geben, wie man damals mit dem ‚Fall Biermann‘ umging, genügt es fast, einige Schlagzeilen aus dem Jahre 1965 anzuführen: „Ulbrichts nervöse Garde"; „Scharfe SED-Attacke gegen Lyriker"; „Zonenschriftsteller Biermann in Ungnade"; „Der staatsgefährdende Bänkelsänger"; „SED bricht mit Biermann"; „SED-Führung gab Differenzen zu" usw. Eine Auseinandersetzung mit den Texten des Angegriffenen, etwa der *Drahtharfe,* war in den meisten Fällen Nebensache, aber nicht jeder gab das so ungeniert zu wie Hans-Ulrich Kersten in den *Bremer Nachrichten* vom 15. 12. 1965: „Inwieweit Biermann wirklich ein Dichter ist, der mit Heinrich Heine auf eine Stufe gestellt werden kann, sei dahingestellt. Seine rüden Verse sind nicht jedermanns Sache. Die Lieder François Villons, mit dem Biermann sich gern verglichen sieht, haben literarischen Wert, dagegen sind Biermanns Verse zunächst einmal politische Aussagen …" Einige Beobachter waren bestrebt, angesichts der Honecker-Polemik die Dichter-Schelte („Pinscher") von Bundeskanzler Erhard herunterzuspielen, aber Martin Schulze glaubte mehr deutsch-deutsche Gemeinsamkeiten zu entdecken: „Der kritische, nonkonformistische Geist war vielen Deutschen schon immer suspekt." (*FR* vom 14. 12. 1965.) Ob wirkliche Solidarität oder nur willkom-

mener Vorwand für Kritik am ‚mitteldeutschen Regime': Bier-
mann erklärte, er brauche keine Schützenhilfe aus dem Westen.
In einem Extrablatt von Wolfgang Neuss' satirischer Zeitung
Neuss Deutschland betonte er: „Meine Schwierigkeiten mit einigen Genossen in meinem Staat sind unsere Angelegenheit."
Diese Worte sollten offenbar Biermanns Zugehörigkeit zur
DDR illustrieren, den Vorwurf „Agent des Klassenfeinds" ent-
kräftend, aber sie veranschaulichten vor allem sein Dilemma:
Die angeredeten „Genossen", die ihn nicht einmal ordentliches
Mitglied ihrer Partei hatten werden lassen, waren schon damals
nicht an einem Dialog interessiert, und das sollte sich bis 1976
nicht ändern. In seinem Artikel „Der Dichter ist kein Zucker-
sack" (*Die Zeit* vom 17. 12. 65) lieferte Marcel Reich-Ranicki
eine Erklärung dafür, warum es auch so bleiben würde: Biermann artikuliere „in einfachsten Strophen die Gefühle und Gedanken zahlloser Bewohner der DDR". Hatte er da recht? Der
Verlauf der Ereignisse von 1989/90, als sich nur eine verschwindend kleine Minderheit in der DDR für einen demokratischen
Sozialismus à la Biermann einsetzte, spricht eine andere Sprache. Reich-Ranicki sagte im selben Artikel aber etwas anderes,
was der Wahrheit näherkam: „Wirklich gefährlich sind immer
die Zweifler in den eigenen Reihen." Allerdings. Alexander
Schalk-Golodkowski konnte mit Franz-Josef Strauß verhan-
deln, aber Biermann bekam kein Parteibuch. Wie ironisch ist es
doch, daß die SED ausgerechnet für die Ehrung des ‚Renegaten'
und Luther-Kritikers Thomas Müntzer Unsummen ausgab,
während die ‚modernen Müntzers' genauso geächtet wurden
wie einst der radikale Reformator.

In der ‚Eiszeit' nach dem 11. Plenum sowie während des
(Pseudo-) Tauwetters nach dem Amtsantritt Erich Honeckers
änderte sich an der Lage Wolf Biermanns in der DDR sehr
wenig. Als Künstler produzierte er weiter, aber seine Werke
konnten nur auf dem Umweg über die Bundesrepublik (Rund-
funk, Fernsehen, Bücher- und Platten-,Schmuggel') zum ostdeutschen Publikum gelangen. Daß die Untergrund-Öffentlich-
keit tatsächlich gut funktionierte, behauptete er in einem
Spiegel-Gespräch: „In der BRD habe ich vielleicht Publicity,

aber in meinem Land bin ich populär." (I&G 1971) (Das im Westen verpönte Kürzel „BRD" wird hier bewußt verwendet.) Aus diesen Worten läßt sich Zuversicht heraushören, aber es wäre falsch, die langen Jahre der Isolation als ein gemütliches Martyrium zu bagatellisieren. (Vgl. den bekannten Zeit-Artikel von Dieter E. Zimmer aus dem Jahr 1967.) Um zu überleben, brauchte Biermann den Zuspruch der treu gebliebenen Freunde, aber das genügte nicht. Er mußte glauben, daß seine Vorstellungen und Ideale mit der historischen Notwendigkeit übereinstimmten. Dieser Glaube wird in einem Gespräch mit dem vielsagenden Titel „Das Verbot trifft mich und formt mich" so formuliert: Die „sozialistische Demokratisierung" sei „eine objektive historische Tendenz" und „nicht etwa nur der versponnene Wunschtraum eines Häufleins verbitterter Intellektueller ..." (I&G 1972) Wie fest dieser Glaube war, kann daran ermessen werden, daß er auch noch vier Jahre nach der Zerschlagung des Prager Frühlings durch sowjetische Panzer artikuliert werden konnte. Rückblickend sagt Biermann über diese Zeit: „Die Illusionen waren noch ungebrochen, und so konnte ich leben. Ich glaubte bis zuletzt, auch nach 12 Jahren Berufsverbot, daß die DDR trotz alledem eine historische Chance ist." (KiG, 52) Im folgenden soll dargelegt werden, wie diese Illusionen poetische Gestalt annahmen.

Drei Jahre nach der Drahtharfe, d. h. im europäischen Schlüsseljahr 1968, brachte der Wagenbach-Verlag ein zweites Buch von Wolf Biermann auf den Markt. Im selben schlicht-alternativen Format wie beim Erstling erschienen Gedichte, Balladen und Lieder unter dem Titel Mit Marx- und Engelszungen. Der Titel des Bandes entstammt der Ballade „Das macht mich populär", die erst 1972 veröffentlicht wurde. Das ist deshalb erwähnenswert, weil es auf ein grundlegendes Problem hinweist, womit jeder konfrontiert ist, der das Biermannsche Œuvre chronologisch einordnen und so in seiner Entwicklung betrachten will. Das Datum des Erstdrucks sagt oft wenig über die Entstehungszeit des jeweiligen Textes aus. Gerade am Anfang seiner Laufbahn war er ungeheuer produktiv; vieles wurde für unzulänglich befunden und verschwand, während manches erst

Jahre nach der ursprünglichen Inspiration zur Rezeption freigegeben wurde. Die *Drahtharfe* enthält eine Zeittafel, anhand deren man nachweisen kann, daß gewisse Dinge, die man bei der Lektüre zu erkennen meint (etwa eine zunehmende Verbitterung), nur auf die nachträgliche Zusammensetzung der Sammlung zurückzuführen sind. (Die „Rücksichtslose Schimpferei" beispielsweise, die die Funktionäre zur Weißglut trieb, entstand bereits 1962.) Beim zweiten Band (wie bei allen weiteren) entfällt die Zeittafel, aber einige Gedichte (vgl. oben) sind nachweislich der frühen Schaffensperiode zuzurechnen. Dem Inhaltsverzeichnis ist übrigens zu entnehmen, daß zwischen „Gedichten" und „Liedern" nicht rigoros unterschieden wird: Unter den „Gedichten" finden sich zwei Lieder, und bei den „Hetzliedern" stehen die „Vietnam-Epigramme" und andere Texte ohne Musik.

Wie seinerzeit Brecht (und das nicht nur in der *Hauspostille*) greift Biermann nicht selten die Sprache der Bibel auf, wenn es darum geht, politische Vorstellungen mittels Bilder zu transportieren. Schon der Titel des zweiten Bandes paraphrasiert den Anfang von Paulus' erstem Korintherbrief, und das, was dort steht, könnte auch vom Dichter selbst stammen: „Wenn ich mit Menschen- und Engelzungen redete, und hätte der Liebe nicht; so wäre ich ein tönend Erz, oder eine klingende Schelle." Dieser Betrachtungsweise gemäß enthält *Mit Marx- und Engelszungen* Verse, die an Genossen sowie Geliebte gerichtet sind und damit die ‚große Sache' und das private Glück behandeln. Miteinander verknüpft – auf unverwechselbare Weise – sind die beiden Bereiche im langen Gedicht „Großes Gebet der alten Kommunistin Oma Meume in Hamburg" (67 f.). Hier ist der Marxismus kein ‚säkularisiertes Christentum' mehr, sondern eine richtige Religion für die kleinen Leute, denen der ‚wissenschaftliche Atheismus' nicht zusagt. (Vgl. die spätere Parteinahme für Lech Walesa und die katholischen Solidarność-Streiter.) Nach den endlosen Mühen des Proletenlebens – die u. a. in der „Moritat auf Biermann seine Oma Meume in Hamburg" dargestellt werden – wird der alte Glaube aus der Kindheit mit den Überzeugungen der Parteigenossin ausgesöhnt: „O Gott, laß DU den

Kommunismus siegn!" Diese Bitte ist allzu verständlich, da die alte Frau in den vier Strophen des „Gebets" die Erinnerung an lauter furchtbare Dinge heraufbeschwört, z. B. die tägliche „Schinderei", den vergeblichen Kampf gegen Hitler, die Konzentrationslager, den Krieg, die Verbrechen Stalins (Wie viele deutsche Linke wagten es in den 60er Jahren, dieses Thema überhaupt zu berühren?), die Mauer und den Streit des Enkels mit der Partei um die Zukunft der DDR. Biermann gelingt es in diesem Porträt, einen Menschen zu Wort kommen zu lassen, der mit seinen Sorgen und Hoffnungen weder im Osten noch im Westen Gehör finden kann, und gleichzeitig ist die historische Litanei eine einzige Klage gegen die SED-Version der deutschen Geschichte dieses Jahrhunderts. Man denkt dabei an Brechts Pelegea Wlassowa, doch in diesem Fall ist die Solidarität des Autors nicht (nur) intellektuell gegründet, sondern Ergebnis eigenen Anschauens und Erlebens.

Der ‚Dialog' mit den führenden Genossen, der in der *Drahtharfe* versucht wurde, wird in der zweiten Sammlung fortgesetzt, ohne daß viel Neues hinzukäme. Die „Tischrede des Dichters im zweiten mageren Jahr" klingt wie eine Variante der „Tischrede des Dichters", und das „Portrait eines alten Mannes" wiederholt im Grunde die Aussage des früheren Gedichts „An die alten Genossen". Solche Texte sind nur noch von historischem Interesse, aber das heißt nicht, daß Biermann bereits 1968 unfähig war, aus dem andauernden Zwist gültige Gedichte zu machen. Die „Drei Worte an die Partei" führen z. B. seine Nähe zu den Quellen der Volkspoesie vor (ohne Titel könnten diese drei Vierzeiler ohne weiteres als ein Volkslied gelten), und der Leser von „Lebenszeichen" spürt die existentielle Bedrohung in den „finsteren Jahren", der der Eingeschlossene auch in den eigenen vier Wänden nicht zu entgehen vermochte: „Schlafen will ich mich legen ... Und will dann hinabtauchen / in immer tiefere Stille / und von neuem erfinden: / Den Schrei." (14) In „Frage und Antwort und Frage" braucht Biermann nur neun Verse, um das Dilemma des osteuropäischen Staatssozialismus genauer zu charakterisieren, als es in manchen sozialwissenschaftlichen Abhandlungen geschieht. Darüber hinaus handelt dieses Gedicht von systemübergreifenden Grunderfahrungen: Der Begriff „Sozialismus" in der dritten Strophe ließe sich durch andere Termini ersetzen. Eine derartige Übung wäre in bezug auf „Der Herbst hat seinen Herbst" nicht nötig, da der Lyriker diesmal einen Lagebericht als scheinbar reine Naturschilderung vorlegt. Wie so oft geht er dabei von einer genauen Beobachtung seiner Umgebung aus, und das Wahrgenommene wird ohne Bruch zum Sinnbild. An einem solchen Gedicht zeigt sich die ursprüngliche poetische Begabung, die in den – nicht wegzudenkenden – politischen Polemiken nicht immer zum Tragen kommt bzw. überdeckt wird. Eine solche Feststellung sollte nicht als Plädoyer für einen ‚unpolitischen Biermann' (den es wohl nie geben wird) mißverstanden werden: Dieser Schriftsteller ist nicht zuletzt deshalb eine einmalige Erscheinung, weil er sich weigert, zwischen einem Frönen seiner musischen Neigungen und seinem Bedürfnis, sich einzumischen, ein für allemal eine Wahl zu treffen. Der Seiltänzer droht manchmal abzustürzen, aber die Vorführung ist fast immer sehenswert.

Die Abteilung „Hetzlieder gegen den Krieg und Lobpreisung des Friedens" dokumentiert, wie sich Biermann bemüht, mit der Gewaltfrage ins reine zu kommen. Besonders nach seiner umstrittenen Stellungnahme zum Golfkrieg 1991 (vgl. unten) lohnt eine Auseinandersetzung mit dieser Bemühung. Ein Hinweis darauf, wie ernst der Lyriker dieses Unternehmen nimmt, ist die Tatsache, daß das Gedicht „Größe des Menschen" den Anfang bildet: Es handelt sich nämlich um einen Ausflug in die Gedankenlyrik, etwas, was beim frühen Biermann äußerst selten vorkommt. In ungereimten Verspaaren wird allmählich herausgearbeitet, daß die „Größe" eher ein Verhängis ist: Wesentlichstes Merkmal des Menschen ist seine „Zerstörungskraft" (25). Obwohl es nicht im Gedicht steht, muß man dieses Merkmal als ein soziohistorisch bedingtes auffassen, denn sonst hätten die nachfolgenden Gedichte zu diesem Themenkomplex wenig Sinn. Der letzte Vers von „Größe des Menschen" ist eigentlich überflüssig, und das zeugt von einer gewissen Unsicherheit im Umfang mit der ungewohnten Gattung. Nach diesem Versuch kehrt Biermann zum bildhaften Sprechen zurück, und da ist er in seinem Element. Auf der Grundlage von Brechts früher „Legende vom toten Soldaten" verdeutlicht er z. B. in „Die Legende vom Soldaten im dritten Weltkrieg", daß nicht nur – wie im Ersten Weltkrieg, den Brecht beschreibt – unermeßliches Leid, sondern auch die Ausrottung der Menschheit bevorstehen könnte. Auf dem Hintergrund eines atomaren Infernos erfährt man, wie ein Soldat und seine Frau die letzten Augenblicke ihres Lebens verbringen. Die Vernichtung ist so total, daß auch die biblische Apokalypse harmlos erscheint: „Das Jüngste Gericht wurde abgesagt / Warn keine Seelen mehr da." (29) Die kindlich-naive Sehnsucht nach Frieden – die man auch beim späten Brecht finden kann – äußert sich in der Vision von reifen Kirschen als Kontrast zum ‚nuklearen Winter'. Der schlichte Ton im Refrain wird aber in ein schiefes Licht gerückt, da Biermann leider nicht davon absieht, diesen Ton für eine allzu simple ‚Make love not war'-Botschaft zu verwenden: „Und hätte der Soldat der Frau zu Haus / Statt Krieg ein Kind gemacht / Dann schlüge das Herz der Erde noch / Der Krieg würd ausgelacht" (30). Es ist wohl kein Zufall, daß dieses Lied nicht aufgenommen worden ist (dafür kam Brechts „Kinderhymne" auf die *Seelengeld*-Doppelplatte), anders als die „Ballade vom Panzersoldat und vom Mädchen" (33 f.), die 1988 herauskam (vgl. *VEBiermann*). Bei allem Respekt vor dem Bestreben, durch die Darstellung der Erde als „Totenschiff" die Mitmenschen aufzurütteln, muß man sagen, daß die „Ballade", die ohne den großen apokalyptischen Rahmen auskommt, weit wirkungsvoller ist. Der Panzersoldat, der den Militärbetrieb satt hat („Der kam grad vom Manöver") macht die Schießbude auf dem Weihnachtsmarkt ‚kampfunfähig', indem er alle Bleikugeln aufkauft und wegschmeißt. Die Figur des jungen Mädchens, das den Soldaten daraufhin küßt, kann als Symbol für die latente antimilitaristische Stimmung in der Bevölkerung betrachtet werden. Obwohl diese Ballade überall verstanden werden könnte, sollte man nicht vergessen, daß ein DDR-Bürger, der es riskiert hätte, sie öffentlich zu singen, mit einer längeren Haftstrafe hätte rechnen müssen. Dasselbe gilt für das sehr populäre Lied „Soldat

Soldat", das wohl immer auftauchen wird, wenn die Kontroverse um den Spruch „Soldaten sind Mörder" wieder aufflammt.

Daß Biermann von Natur aus kein Gandhi ist, läßt sich aus dem Gedicht „Genossen, wer von uns wäre nicht gegen den Krieg" (37) ablesen, das Robert Havemann gewidmet ist. In einem historischen Bilderbogen über Gewalt und Gerechtigkeit, der vom Deutschen Bauernkrieg über den Krieg gegen Hitler und den Kampf der Vietnamesen gegen die US-Armee zu den Befreiungsbewegungen in der Dritten Welt reicht, wird das Lob der Waffe in der Hand der Unterdrückten gesungen. (Man bedenke, nebenbei bemerkt, daß die Sowjetunion nie Kernwaffen an sich abgelehnt hat, sondern nur die im Besitz des Westens befindlichen.) Erst in der letzten Strophe wird ein Gegenmodell dazu aufgestellt: Angesichts der „empörten Massen" der „Waffenlosen" verzichten Polizisten („abgerichtet gegen das Volk") auf den Einsatz der Gewalt und solidarisieren sich mit dem demokratischen Aufbruch von unten. 1968 blieb das in Prag, Paris und Chikago ein Traum, und auch bei der ‚sanften Revolution' von 1989 im sächsischen Leipzig sowie im preußischen Berlin blieb die Polizei bei der Stange. Ob Traum oder nicht: Endete das Gedicht nach der vierten Strophe, so würde es einen schlechten Beigeschmack haben, zumindest bei denjenigen, die wissen, daß Biermann selbst nie ‚dienen' mußte. (Die NVA hielt ihn anscheinend für ein ‚wehrkraftzersetzendes Element' – kein Wunder, da manche westdeutschen Kritiker ihn damals als eine „Kleinausgabe" von Günter Grass beschrieben). Es ist wohl kein Zufall, daß Biermanns sensibler und sehr engagierter Freund und Kollege Jürgen Fuchs, der zwei Jahre bei der NVA über sich ergehen lassen mußte, auf eine Verherrlichung der Gewalt – egal welcher Art – grundsätzlich verzichtet.

Ein anderer Aspekt von *Mit Marx- und Engelszungen,* der berücksichtigt werden sollte, ist die Darstellung der Frau. Gerade in einem Band, der so viele Aussagen über Krieg und Frieden, über Gewalt und Gewaltlosigkeit enthält, müßte diese Darstellung alles andere als nebensächlich sein. Wie in der *Drahtharfe* trifft man auf Liebesgedichte, in denen der gesellschaftliche Zusammenhang überhaupt nicht vorkommt. Wie reimt sich das mit dem Bild eines Biermann, der pausenlos politisiert? Nun, für einen, der über längere Zeit hinweg scharfen Angriffen ausgesetzt war (der Dezember 1965 war keineswegs ein Endpunkt), war eine Zuflucht in den „leisen Würgejahren" – so der Ausdruck in „Hohe Huldigung für die Geliebte" (50) – sicher lebensnotwendig. Das bedeutet nicht, daß sich jede(r) an der patriarchalisch angehauchten Idylle erfreuen muß, aber ein Urteil darüber müßte die Umstände im Auge behalten. Das erste, was dem Leser auffällt, ist die Dichotomie aktiv/passiv: Es ist immer der Mann, der die Initiative ergreift. In „Die grüne Schwemme" z. B. soll die Geliebte stillhalten, während sie der Liebhaber „zärtlich" kämmt (47). Er singt, und sie soll die Lieder „glauben". Das Lied „Von mir und meiner Dicken in den Fichten" (49) weist dieselbe Struktur auf, und ein Vers darin erregte die feministischen Gemüter im Westen: „Als ich sie mit meinem Maße maß". (In einem Interview rechtfertigte Biermann die Sichtweise in diesem Lied. Vgl. I&G 1979a, 80.) In „Frühling auf dem Mont-Klamott" (53 f.) meldet sich zwar die Geliebte mit einer eigenen Meinung („Die Dicke sprach von Frieden"), aber die Antwort des Liebhabers ist Schweigen. Bereits die gewählten Kosenamen – „Dicke", „Schöne" – ordnen die Frauen eindeutig dem sinnlichen Bereich zu. Nichts gegen Sinnlichkeit: Wer sich in den 60er Jahren in der DDR aufgehalten hat, kann sich gut vorstellen, daß sie damals fast eine politische Sprengkraft besaß. Die Frage muß jedoch erlaubt sein, inwiefern sich die DDR-Frauen politisch und persönlich emanzipiert fühlten, als sie auf ihren Stellenwert in der „Bilanzballade im dreißigsten Jahr" stießen: „Ich segelte mit steifem Mast / Zu mancher Schönen, machte Rast / Und hab die andern dann verpaßt / Es gibt zu viele …" (58) Obwohl der Segler in derselben Strophe Schiffbruch erleidet, ändert sich die Grundkonstellation dadurch nicht. Auch in den Gedichten, die nicht direkt von der Liebe handeln, herrscht dasselbe Muster vor. Die Frau spendet Trost und richtet den Angeschlagenen wieder auf („Große Ermutigung"), was durchaus Achtung verdient, aber man weiß sonst nichts von ihr. Sie darf, wie in dem berühmten Gemälde von Delacroix, die Freiheit verkörpern („In Prag ist Pariser Kommune"), aber sie muß auch als Zwillingsschwester der geliebten Gitarre auftreten: „du bittere Schöne / du griffige Schöne / schwer spielbare Frau" („Preußische Romanze No. 1", 72). Die einzigen Frauen, die eine andere Rolle spielen dürfen, sind die alten. Das sympathische Porträt der Oma Meume wurde schon erwähnt, und bei den „alten Weibern" verweilt der Dichter gern, weil er sich an ihren „schönen Geschichten" ergötzt („Winterlied", 51). Fast ist man versucht zu sagen, ein neues Kapitel der Sage ‚Brecht und die Frauen' kündige sich hier an, aber das trifft nicht ganz zu. Biermanns *alte* Frauen können ihre Verwandtschaft mit Mutter Courage oder Pelegea Wlassowa nicht leugnen, aber die *jungen* sind eher eine Mischung aus Grusche und Spelunken-Jenny. Die jungen Frauen/Geliebten haben die ‚richtige' Gesinnung – vgl. den Kuß für den pazifistischen Soldaten –, aber sie reagieren nur, statt etwas zu initiieren. Als selbständiges Wesen und als gleichberechtigte Partnerin beim – gewaltfreien? – Kampf um einen demokratischen Sozialismus tritt die Frau nicht in Erscheinung. Vielleicht kann man das als eine nüchterne Widerspiegelung der damaligen Zustände in der DDR hinnehmen, aber das Fehlen eines Vor-Scheins kommender Entwicklungen muß auch registriert werden.

Die drei großen Vorbilder in *Mit Marx- und Engelszungen* sind wieder Brecht, Heine und Villon. Das bekannteste Lied, nämlich die „Ermutigung" (61), das ursprünglich dem Lyriker und zeitweiligen *Sinn und Form*-Herausgeber Peter Huchel (und wohl auch Biermann selbst) Mut machen sollte, ist inzwischen fast zu einer Art Hymne der alternativen Bewegung geworden. Vielen Kritikern ist die Nähe zu Brechts Gedicht „Gegen Verführung" aufgefallen, das in der *Hauspostille* zwischen der „Legende vom toten Soldaten" und „Vom armen B. B." steht. Brechts vier Strophen sind ein einziger Carpe-diem-Aufruf des jungen Atheisten und Noch-Nicht-Marxisten. Bei Biermann geht es viel persönlicher zu: Statt der Anrede an alle („Laßt euch nicht verführen") zielt der Jüngere auf einen Dialog mit einem Freund, der das Schicksal des Isolierten teilt. Zu den Ratschlägen, die erteilt werden, gehört einer, den der Dichter selbst nicht befolgt: taktieren, Kompromisse eingehen („Die all zu hart sind, brechen / Die all zu spitz sind, stechen / Und brechen ab sogleich ..."). In der „Bilanzballade im dreißigsten Jahr", die Motive aus Villons *Großem Testament* entlehnt, wird die verallgemeinernde Mehrzahl zur höchstpersönlichen Einzahl: „Und als ich sie in' Finger stach / Und mir dabei den Stachel brach / Zerrieben sie mich ganz gemach / In kleine Stücke ..." (57) Das ist wohl doch zu pathetisch, da der Verfasser dieser Verse zwar verboten (zwischen Elbe und Oder-Neiße), aber sonst sehr lebendig war und weiterhin gegen den Stachel löckte. Es ist in der „Kleinen Ermutigung" (59) auch kein Verzagter, der spricht, sondern ein väterlicher Freund, der von der hohen Warte der Geschichtsphilosophie aus den anderen Tröstliches bieten kann: „Hattet ihr wahrlich geglaubt, / Jahrtausende langer Kämpfe Macht / Löse lieblich sich in diesen Tagen?" Es läßt sich aber nicht bestreiten, daß das Pathos im Kurzgedicht „Es senkt das deutsche Dunkel" (das man als eine Art Weiterführung von Heines „Ich hatte einst ein schönes Vaterland" betrachtet hat) dem Gegenstand angemessen ist. Die Zerrissenheit des Dichters hat hier ihre Ursache in der Teilung des Heimatlandes, und der Fortschritt (aus seiner damaligen Sicht) im einen Teil wiegt das Leiden daran nicht auf: „Ich lieg in der bessren Hälfte / Und habe doppelt weh." (77) Es ist bemerkenswert, daß Heimatliebe und Parteinahme für den Sozialismus in diesem Text gleichberechtigt nebeneinander stehen, denn das war – und ist – unter linken Deutschen gar nicht selbstverständlich. Zu den ‚vaterlandslosen Gesellen' – so das alte gegen die Sozialdemokraten gerichtete Schmähwort der Konservativen – zählt Biermann jedenfalls nicht.

Obwohl der zweite Gedichtband nicht ganz so erfolgreich wie der erste war, wurde er immer noch öfter gekauft als die meisten Lyrikbände der Nachkriegszeit (bereits 1968 lag er im 21.–40. Tausend vor). Das Echo der Kritik blieb auch nicht aus: Alle überregionalen Tageszeitungen und manche Zeitschriften druckten z. T. ausführliche Rezensionen, die in vielen Fällen mit einem Foto des Autors versehen waren, was bei der Besprechung von Gedichten nicht gerade üblich ist. Die Rezeption war überwiegend positiv, aber auch Kritiker, die Biermann gewogen waren, hatten Bedenken anzumelden, wenn auch selten so schwerwiegende wie diese: „Jedenfalls kann dieser Band den Eindruck hinterlassen, daß Wolf Biermann ... den Höhepunkt seiner künstlerischen Arbeit bereits überschritten hat." („Bm." in *Die andere Zeitung* vom 27. 2. 1969.) In der Literaturgeschichte ist es natürlich oft vorgekommen, daß ein Schriftsteller, der mit seinem Erstling ein großes Lesepublikum erreicht, danach der eigenen Popularität ewig hinterherlaufen muß, aber in diesem Fall war eventuell etwas anderes mit im Spiel: Biermanns erste eigene Langspielplatte wurde erst 1969 produziert, also war jede Rezeption per Definition fragmentarisch. Es lohnt sich trotzdem, einige der wichtigsten kritischen Stimmen von damals zu vernehmen.

In der *Zeit* (20. 9. 1968) sprach der österreichische Kulturkritiker Ernst Fischer von einem „lyrischen Draufgänger", der mit der „Problematik europäischer Lyrik seit Baudelaire" nichts im Sinn habe und von der Überlieferung ausgehe, statt sie abzulehnen. Obwohl er durchblicken ließ, daß er die angestrebte Volkstümlichkeit erfrischend fand, war er kein kritikloser Bewunderer: Die Gedichte dieses „ungestümen Talents" seien „sehr ungleich". Ähnliches sagte in der *Süddeutschen Zeitung* (18. 9. 1968) auch Hans Mayer, dessen Beitrag ein Plädoyer für einen „sorgfältig arbeitenden modernen Lyriker" war, der u. a. das Genre der Soldatenlieder erneuert habe. Mayer glaubte sowohl „bedeutende Gedichte" als auch „Texte ... in der Rohform" entdeckt zu haben. Keinen zwiespältigen Eindruck machten die *Marx- und Engelszungen* dagegen auf Sabine Brandt (vgl. Kap. I), die den Lyriker als „fruchtbar" und „reif" bezeichnete. Sie bemühte sich interessanterweise auch, Biermann nicht nur als einen ketzerischen Verteidiger der kommunistischen Utopie gegen die „Glaubensdogmen" der roten „Kirche" darzustellen, sondern auch als einen Humanisten jenseits aller politischen Auseinandersetzungen. (*Deutschland Archiv* 2/1969, 161 ff.) Zu der Zeit hoffte mancher westdeutsche ‚Utopist' vergebens auf ein dermaßen einfühlsames Porträt. Abschließend sollte noch erwähnt werden, daß das Lied „Drei Kugeln auf

Rudi Dutschke" eine seltene Eintracht zwischen der *FAZ* und der *FR* erblühen ließ. Dietrich Segebrecht (*FAZ* vom 8. 3. 1969) meinte zu diesem „Biermann-Song von unsäglicher Einfalt": „So dürftig kommt uns ja selbst die ApO nicht." Vorher hatte Wolfgang Vogel (*FR* vom 18. 9. 1968) sogar behauptet, dieses Lied hätte der Dichter „besser nicht veröffentlicht"! Solchen Möchtegernzensoren schrieb Hans Mayer (vgl. oben) ins Stammbuch: Man wisse nicht, „was eine Metapher ist". Es kann tatsächlich peinlich sein, wenn poetische Texte ausschließlich zu politischen Zwecken (um-)interpretiert werden. Jenseits aller Peinlichkeit kam es dann folgerichtig zu einem Ermittlungsverfahren: Die Westberliner Staatsanwaltschaft sprach 1969 im Zusammenhang mit dem ‚Dutschke-Lied' von einer Verleumdung des Bundeskanzlers Kiesinger sowie des Westberliner Bürgermeisters Schütz. Das war natürlich Wasser auf die Mühlen der SED-Funktionäre, die seit eh und je behauptet hatten, die bürgerlichen Freiheiten (wie viele realsozialistische) existierten nur auf dem Papier, und die BRD biete ‚verdienten Faschisten' gute Berufs- und Aufstiegschancen. Die Aufregung westlicherseits hätte sich wahrscheinlich in Grenzen gehalten, wenn „Drei Kugeln auf Rudi Dutschke" nur zwischen zwei Buchdeckeln herausgekommen wäre, aber die gesungene Version auf der „Quartplatte" *Vier neue Lieder,* die wenige Monate nach dem Attentat auf Dutschke im April 1968 auf den Markt kam, brachte das Faß zum Überlaufen. Welche Gefahr die deutschen Behörden in West und Ost witterten, brachte Sabine Brandt (vgl. oben) auf den Punkt: „Biermanns Gedichte mobilisieren das Hirn, seine Lieder auch das Herz. Sie ergreifen den Menschen total..." Das Wesen der beabsichtigten Ergriffenheit läßt sich anhand der Platte *Chausseestraße 131* zeigen.

Obwohl die *Drahtharfe* ein großer Erfolg war, gab sich Biermann bei der Gestaltung seiner ersten Langspielplatte viel Mühe. Es gelang ihm auch, die wichtigsten Aspekte seiner Arbeit und seiner Persönlichkeit vorzustellen, und zwar vor der Geräuschkulisse der Großstadt: Man hört die Straßenbahn quietschen, die Lastwagen rattern. Anläßlich der Neuaufnahme 1975 mokierte sich der Sänger über den „östlichen Underground-Sound" (Selbstinterview auf der Plattenhülle), aber die schwierigen Begleitumstände bei der Uraufnahme in der Ostberliner Zweizimmerwohnung trugen zweifellos viel zur Wirkung bei. An was für einem „Immitsch" (Selbstinterview) bastelte er nun? Die ersten beiden Lieder demonstrieren den charakteristischen Zwiespalt: „Die hab ich satt!" ist ein Schlag ins Gesicht (Wer würde es sonst wagen, die Verse „Die kalten Frauen, die mich streicheln" an den Anfang zu setzen?), während das „Barlach-Lied" Angst und Verwundbarkeit thematisiert. Die Verquickung eines Auszugs aus *Deutschland. Ein Wintermärchen* mit der „Ballade auf den Dichter François Villon" weist auf Biermanns Verwurzelung in einer (fortschrittlichen) Literaturtradition hin. Das erst in *Alle Lieder* veröffentlichte Lied „Wie eingepfercht in Kerkermauern", mit das Verbittertste, was der Dichter je geschrieben hat, knüpft an das frühe – noch heitere – Lied „Keine Party ohne Biermann" an und verdeutlicht, daß die einsame Rolle des mitten im allgemeinen Schweigen Schreienden mehr als aufreibend sein kann: „Was leg ich auch mein Herz aufn Tisch / so hungriger Leut!" (170) Den Abschluß der ersten Seite bildet das „Zwischenlied", das das Recht auf persönliche Traurigkeit und Bitterkeit einklagt, ohne den (zeit-)geschichtlichen Kontext leugnen zu wollen. Die zweite Seite greift die großen Themen Sinnlichkeit („Frühling auf dem Mont Klamott"), Klassengeschichte und -bewußtsein (die beiden ‚Oma-Meume-Lieder') und Utopie („So soll es sein – so wird es sein") auf. Am Ende steht also das utopische Hoffen als Pendant zur wütend-bitteren Provokation des scheinbaren Außenseiters. All das wird mit einer ungeheuren Energie vorgetragen, so daß es dem Hörer schwerfällt, dazu Distanz zu gewinnen. Man wird regelrecht durchgerüttelt – insofern man zur Katharsis bereit ist. Das Problematische dabei ist allerdings, daß nicht wenige die Kraftakte des ‚Brüllenden' bewundern und ohne weiteres zum Alltag zurückkehren können. Das weiß Biermann, aber trotzdem will er sich nicht mit diesem (nicht ungewöhnlichen) Dichter-Schicksal abfinden. Auf jeden Fall ist und bleibt *Chausseestraße 131* nicht nur ein Ohrenschmaus, sondern auch ein Zeitdokument, das das Ambiente der späten 60er Jahre vielfältiger vermittelt als manches Buch.

Nach seiner Tournee durch die Bundesrepublik im Dezember 1964 begann Biermann mit der Niederschrift des Versepos oder Langgedichts *Deutschland. Ein Wintermärchen,* aus dem er auf der ersten LP vorliest. Das erste Kapitel erschien bereits Anfang 1966 im Druck (vgl. *Der Gewerkschafter,* Jan. 1966), und Wagenbach brachte den ganzen Text 1972 als „Quartheft" heraus. Geplant war eine erste öffentliche Lesung im Rahmen der West-Tournee im November 1976, aber nach der Ausbürgerung kam es nicht dazu. Erst 1979 las der Autor diese Dichtung in mehreren westdeutschen Städten. Mit dem *Wintermärchen* legte Biermann ein Werk vor, das das Interesse der Leser *und* der Literaturwissenschaftler weckte: Man konnte die Parallelen zwischen der neuen Schöpfung und dem gleichnamigen Gedicht Heinrich Heines aus dem Jahr 1844 nicht übersehen. Beide Dichter reisen nach längerer Abwesenheit in die vertraute Stadt Hamburg, beide besuchen die Mutter, beide sind auf der Suche nach einem Deutschland jenseits von nationalistischen Parolen, und beide verwenden dieselbe Strophenform, nämlich „Vierzeiler als Synthese aus Vaganten- und Volksliedstrophen" (Meier-Lenz [3]1985, 86). Biermann sah sich damals in einer ähnlichen Lage wie der Exilant und Radikaldemokrat Heine, der sein Leben lang gegen die Zensur hatte kämpfen müssen. Zum *Wintermärchen* seines „Cousin(s)" (*DEW,* S. 5) meinte er in einem Gespräch: „Was mir am Heine-Text gefällt, das ist dieser lässige, ironische, leichte Reisebericht-Ton. Er hat den Vorteil und den Reiz, daß man gewichtige und nichtige Dinge gleichwertig *transportieren* kann. ... Aber diese übernommene Form ist in meinem *Wintermärchen* kontrapunktiert durch Lieder und Balladen. Diese Methode lehnt sich an die Struktur an, in der heute das Werk von François Villon verbreitet wird – das *Große Testament* –, durchbrochen von Balladen und Rondeaus. Beim Schreiben habe ich mich dann um das historische Vorbild nicht mehr groß gekümmert, habe drauflosgeschrieben – sonst hätte ich es wohl gar nicht schaffen können." (I&G 1979 c, 61 f.)

In den Zeitungsberichten über die Lese-Tournee steht die ‚deutsche Frage' im Mittelpunkt, und Biermanns Kommentare dazu auf der Bühne werden wiedergegeben: Man dürfe „das

Thema Wiedervereinigung nicht feige den Rechten überlassen", und er wolle sich von einer „linksfortschrittlichen Position" aus an der Diskussion beteiligen. (*Kölner Stadt-Anzeiger,* 17.10, 1979 und *Hessische Allgemeine,* 3.11. 1979.) Solche Zitate könnten den Eindruck erwecken, beim *Wintermärchen* handele es sich um einen trockenen politischen Traktat, aber das lag dem Autor fern. Von Heine übernahm er nicht nur die Ironie, sondern auch den Humor und die Freude am Spiel mit der Sprache, das sich im Nebeneinander von verschiedenen Sprachebenen und im Ausdenken von äußerst unkonventionellen Reimen manifestiert. Wie der Wahlpariser (auch das sollte er später mit Heine gemeinsam haben) entwarf er das Selbstporträt eines Mannes, der einerseits von einer gerechteren Gesellschaft und einer menschenfreundlicheren Heimat träumte, andererseits aber keineswegs bis zur Verwirklichung dieses Traumes auf das höchst irdische Glück verzichten wollte.

Wenn Biermann sagt, im *Wintermärchen* sei sein Thema „Deutschland" (vgl. Meier-Lenz [3]1985, 161), so könnten manche potentiellen Leser schlußfolgern, er habe es mit einer Allegorie zu tun, bei der sich der Autor Gestalten aussucht, die verschiedene Aspekte seines Phantasie-Gebildes verkörpern. Dem ist aber nicht so, zumindest am Anfang. Den Gruppen – d. h. den Grenzsoldaten, Zollbeamten und DDR-Rentnern – stehen zwei Individuen gegenüber, und zwar der Sänger selbst mit seinem Gitarrenkasten und eine „Schöne", die am Bahnhof Zoo zusteigt (ein altvertrautes Biermann-Szenarium also). Das Zugabteil im grenzüberschreitenden Verkehr wird zu einem deutsch-deutschen Bestiarium, indem der (relativ) junge Reisende aus der DDR das Verhalten der anderen aufmerksam beobachtet. Die Beobachtungen führen zu Überlegungen, die einer historischen Dimension nicht entbehren. Ein typisches Beispiel für diese Methode findet man in Kapitel V, worin die Ankunft des Zuges am Grenzbahnhof Schwanheide geschildert wird. Während des kurzen Aufenthalts erblickt Biermann zwei Soldaten der Sowjetarmee, die die Grenzanlagen bewachen. Der Anblick der müden Rotarmisten „am Arsch der Welt" (21) führt erst zum Mitleid, dann zum Nachdenken. Die Väter dieser

„armen Schweine" waren es, die in den Krieg gegen die deutschen Faschisten zogen: „Ihr habt ja dem Heil-Hitler-Volk / Den Reißzahn ausgezogen . . ." (22) Loblieder auf die siegreiche Rote Armee (wenn auch nicht in dieser Form) waren in der – parteifrommen – DDR-Literatur keine Seltenheit, aber die Art und Weise, wie in der eben zitierten Strophe weitergedacht wird, war alles andere als üblich: „Habt es befreit belehrt bekehrt / Und freilich auch belogen". Bei aller Liebe zu den „Genossen mit dem roten Stern" kann sich der Sohn eines im KZ ermordeten Kommunisten mit „Stalins Knüppel" nicht anfreunden, und der „Zwitter"-Sozialismus, der den Deutschen in der SBZ oktroyiert wurde, war ein „unwillkommenes Geschenk": „Halb Menschenbild, halb wildes Tier / Halb Freiheit und halb Gitter" (23 f.). Auf diese harten Worte folgt am Ende des Kapitels jedoch ein dialektischer Sprung: Die Kritik am Stalinismus muß einer Wut auf die Deutschen (sprich: Nazis) weichen, die „schon wieder fett" sind. Die Sieger haben also wenig von ihrem Sieg, und die Verlierer – besonders diejenigen im Westen, die inzwischen mit einer festen antikommunistischen Identität ausgerüstet sind – haben sich wieder gemausert. Trotzdem ist Biermann nicht gegen eine Vereinigung dieses Volkes „von Denkern und Barbaren", denn die Einheit, die er sich vorstellt, ist nicht die in Bonner Ministerien anvisierte: „Ganz Deutschland wird ein rotes Land" (25 f.). Angesichts solcher Verse muß man konstatieren, daß Biermann – wie einst Heine – den Titel seines Werkes gut ausgewählt hat. Die Geschichte vom ‚roten Deutschland' ist ein Märchen geblieben, und es läßt sich nicht voraussehen, ob es von Generation zu Generation überliefert werden wird wie die Grimmschen. Auf jeden Fall wird das *Wintermärchen* als Beitrag zum alten deutschen Thema ‚Geist und Macht' auch und gerade nach dem Umbruch von 1989 aktuell bleiben, auch wenn man sich in Zukunft für das Schicksal „Teddy" Thälmanns und seiner „KaPee" (64) nicht sehr interessieren wird.

Obwohl Biermann im *Wintermärchen* seinem großen Vorbild Heine nacheifert, ist er weit davon entfernt, seinen ‚plebejischen' Ton zugunsten einer gehobeneren Literatursprache aufzugeben. Der Hamburger Schutzgöttin Hammonia, die in

Kapitel XVI vom heimgekehrten Sänger ein neues Lied verlangt, legt der Autor seine eigene Ästhetik in den Mund: „Und nicht verrückt modern! Du sollst / Es reimen wie die Altn / Ein Lied, das schöne Reime hat / Kann man auch gut behaltn" (65). Daß mit den „Altn" nicht unbedingt die deutschen Klassiker gemeint sind, stellt der Sänger selbst in Kapitel IV klar: „Ich bin ein Liedermacher, ein / Verrückter Rattenfänger / Ich bin kein deutsches Lyrikschaf / Kein Stürmer auch und Dränger" (15). In der Tat wären einem „Lyrikschaf" die kühnen, lustigen, ja auch unerhörten Reime, die Biermann einsetzt, nicht im Traum eingefallen. Da diese Reime in nicht unbeträchtlichem Maße zum Lesegenuß beitragen, sollten die (aus der Perspektive des Verfassers) schönsten hier angeführt werden: „Coupé/Fee" (10), „Schinkeln/pinkeln" (11), „Rage/Nationale Fraasche" (11), „deutsche/Neutsche" (25), „Lache/Davidswache" (32), „Fleischerköter/röter" (33), „Gute/Zuckerschnute" (40), „Mercedes/per pedes" (41), „Sachse/Taxe" (42), „Kümmelnase/Vase" (44), „Lord an/Jordan" (48), „Intellektuellen/vertellen" (55), „Sprottenkiste/triste" (61) und „Pfeffersäcke/bezwecke" (65). Über manchen Ausrutscher (wie „Mann hier/Mannbier" (61)) kann man hinwegsehen. Einige Ausdrücke sind auch unvergeßlich, z. B. „Bundesplörre" (27; Freibier nach dem Grenzübertritt), die NVA-Soldaten „... mit dem berühmten Blick / Des Schweins im Schlachterladen" (11), „Drei Jahre im Schneewittschensarg / Als Lenins Mit-Insasse" (52; zu Stalins erster Ruhestätte) oder die Charakterisierung des „berühmt(en)" Kollegen Günter Grass durch einen Vergleich mit dem Hamburger Nieselregen: „Er trommelt auf die Deutschen, doch / Er macht sie nie ganz naß" (41). Als Denkmal für die postfaschistische Teilung Deutschlands, die Biermann mehr Schmerzen bereitete als den meisten Angehörigen seiner Zunft, wird das erste Kapitel m. E. unübertroffen bleiben.

Der letzte Gedichtband, den Wolf Biermann als (verfemter) DDR-Schriftsteller veröffentlichte, trägt den Titel *Für meine Genossen* und enthält „Hetzlieder, Gedichte und Balladen". (In *Mit Marx- und Engelszungen* gibt es auch „Hetzlieder", wenn auch andersgeartete.) Der Titel, der sich eher wie eine Widmung liest, und die „Gebrauchsanweisung für Leser in kapitalistischen Staaten", die dem Band beigelegt wurde (Auszug: „Diese Gedichte und Lieder wurden in der DDR geschrieben, die meisten sind für Leser in der DDR bestimmt ...") lassen die Frage aufkommen, warum Wagenbach diese Lyriksammlung dem westlichen Publikum überhaupt vorlegen wollte. In der *Zeit* sprach Fritz Raddatz von „Gedichte(n) aus dem sozialistischen Lager, vornehmlich für Sozialisten" (24. 11. 1972), und Jürgen P. Wallmann nannte die Gedichte und Lieder des Verbotenen „Beiträge zu einer innersozialistischen Diskussion ..., bei der uns im Westen nur die Rolle von Zaungästen zukommen kann". (*Die Tat*, 3. 3. 1973.) Zitate aus den Schriften von Marx, Lenin und Luxemburg, die der Lyriker als Motti und Mahnworte einsetzt, verstärken diesen Eindruck. Wer all das zur Kenntnis genommen hat, muß bei der Beschäftigung mit den Versen selbst ziemlich verwirrt sein, und zwar aus zwei Gründen: 1) Biermanns Dialog(versuch) mit den SED-Oberen ist kein knochentrockener Thesenstreit, sondern eine menschliche Angelegenheit, die sich nicht zuletzt um die Zukunft der menschlichen Gattung dreht, was auch den homo sapiens westlich der Elbe mäßig interessieren müßte. 2) Etliche der abgedruckten Texte beziehen sich entweder nicht direkt oder gar nicht auf den real existierenden Sozialismus, d. h. sie nehmen zum Ausgangspunkt allgemeinmenschliche Erfahrungen, die jenseits der momentan bestehenden kulturellen, politischen und sozialen Strukturen liegen (ohne daß der Dichter bewußt versuchte, ‚zeitlose' Schöpfungen hervorzubringen).

Vor den fünf Abteilungen des Bandes, die ironische Anspielungen auf Paragraphen des Gesetzbuches sind (in der DDR, wo viele Gesetze ganz willkürlich angewandt wurden, brauchte diese Ironie kaum erklärt zu werden), steht der „Gesang für meine Genossen" (7 ff.). Diesem Text kommt offensichtlich große Bedeutung zu, da er auch am Schluß vom *Wintermärchen* steht. Rechnete der Autor beim Versepos mit einem kleineren Leserkreis? Im „Gesang" versucht Biermann, seine Isolation zu durchbrechen, indem er in einer Tour d'horizon der weltweiten revolutionären Bewegung seinen eigenen Standort bestimmt.

Dieses große „Lied vom Verrat" beginnt damit, daß des toten Vaters, „der von Auschwitz stinkend auferstand", gedacht wird, und endet mit einem Selbstbild des Sängers. Dazwischen liegen kleine Porträtstudien von bekannten Radikalen aus den späten 60er Jahren. Biermann sympathisiert mit den Schwarzen Panthern in den US-Gettos, ihre (und wohl auch die eigene) Rolle als Bürgerschreck lobend, und er kritisiert den tschechischen Reformkommunisten Dubček, weil er 1968 weder in den Tod noch in den Untergrund ging (Vorbild ist hier Mao Tsetung). Mitten im Vietnam-Krieg preist er den verstorbenen „Onkel Ho" sowie den inhaftierten Boxer Muhamed (sic!) Ali, der sich weigerte, in der US-Armee zu dienen, aber er geißelt gleichzeitig „das exotische Mitleid" und den „Spenden-Rummel" in der DDR, wo das bloße Schwenken einer ČSSR-Fahne damals unweigerlich eine Freiheitsstrafe nach sich zog. Zwanzig Jahre vor dem ZK der KPdSU nennt er den sowjetischen Einmarsch in die Tschechoslowakei schlicht und einfach „die Konterrevolution". In dieser Zusammensetzung waren solche Bekenntnisse zur Zeit ihrer Entstehung nicht gerade üblich, und sehr ungewöhnlich – zumindest im ‚sauberen' Osten (man denke etwa an Ulbrichts „Zehn Gebote der sozialistischen Moral") – war der damit verbundene Wunsch nach einer „Befreiung aus dem patriarachalischen Clinch", wenn auch die dazugehörige Verehrung der Heilkräfte der „heiligen Genossin" mit feministischen Ansätzen im Grunde wenig gemein hatte. Zwei andere Aspekte sollten für Biermanns weiteren Weg von größerer Bedeutung sein, nämlich die „jüdische Angst" („... von der ich behaupte / daß ich sie habe – und von der ich fürchte / daß einst sie mich haben wird ...") und die Weigerung, den Frieden *an sich* als das kostbarste Gut der Menschheit zu betrachten, da es sich um einen „mörderischen Frieden" handele. Dieser lange „Gesang" aus der Ich-Perspektive, eine Aneinanderreihung von Haupt- und Nebensätzen ohne ästhetischen Reiz – der in diesem Fall kaum angestrebt wurde –, zeigt einen Menschen zwischen den Stühlen auf der Suche nach Bundesgenossen auf der ganzen Welt – außer in der eigenen Heimat. Hier spricht ein Prophet, der anscheinend längst aufgehört hat, auf

Gehör und Wirkung im eigenen Land zu hoffen. Diese Verse muß man im Auge behalten, wenn man sich mit den anderen Gedichten des Bandes befaßt, obwohl sich das Verhältnis zwischen dem programmatischen Eingangsgedicht und dem Rest des Bandes schwer beleuchten läßt, da das Entstehungsjahr des „Gesangs" nicht bekannt ist.

Ein charakteristisches Bild der Verzweiflung und Wut des Dichters in den Jahren nach dem „Prager Frühling" liefert das Gedicht „Vier verschiedene Versuche, mit den alten Genossen neu zu reden" (63 f.), das Lou und Ernst Fischer gewidmet ist. In der ersten bzw. dritten Strophe spricht der Bittsteller verständnis-, rücksichts-, ja ehrfurchtsvoll. In der zweiten bricht die aufgestaute Frustration durch, aber erst in der letzten gibt es keinen Halt mehr: „Ihr impotenten, ausgelaufenen Fässer! / Noch immer wollt Ihr geil vor Machtgier / Das Volk begatten mit dem Gummiknüppel?" Die ungezügelte funkensprühende Polemik in den Schlußversen, die einen Vergleich mit den Meisterwerken dieser Gattung nicht zu scheuen braucht (man stelle sich einen Biermann als Mitstreiter oder Gegner Luthers vor) führt mit brutaler Deutlichkeit einen Zustand vor, der dem Wesen der Demokratie hohnspricht: „Syphilitische Jungfraun schwenken Weihrauchfässer / Starr jubelt das Volk im Spalier ..." Den Gemütsbewegungen entspricht der Aufbau des Gedichts: In den Strophen werden in Anlehnung an ‚Meister' Brecht reimlose Verse mit unregelmäßigen Rhythmen verwendet, während die kurzen Fragen des – sich variierenden – Refrains Verblüffung, Erstaunen, Zorn und schließlich auch Angst (vor der Stasi) zum Ausdruck bringen. Der letzte Vers, gedruckt in Großbuchstaben, zieht die logischen Konsequenzen aus dem Vorangegangenen, verhallt jedoch – bis 1989 – ungehört: „WORAUF WARTEN WIR DENN NOCH?" Neben dieser Generalabrechnung, die ohne Musik besonders schonungslos wirkt – auch die schärfsten Lieder zu diesem Thema lassen sich auf einer Ebene konsumieren –, stehen viele andere Texte, die mit der Zeit wohl verblassen werden, weil sie hauptsächlich für (kultur-)historisch Beflissene von Interesse sein werden. Zu diesen gehören u. a. die Auseinandersetzung mit Florian Havemanns (des Sohns von Robert Havemann) Flucht in den Westen, das Lied über die „Stalinallee" (in der Biermann eine eigene linke Ahnengalerie aufstellt, die er heute vielleicht nicht mehr akzeptieren könnte), das „Portrait eines Monopolbürokraten" und „Ah-jaa". Im Gegensatz dazu kann die „Populär-Ballade" als eine Vorstufe der 1989er „Ballade von den verdorbenen Greisen" die Aufmerksamkeit des Lesers bzw. Hörers beanspruchen, denn hier wird die Zukunft der ‚Mächtigen' hellsichtig beschrieben: „Im ‚Neuen Deutschland' finde ich / tagtäglich eure Fressen / Und trotzdem seid ihr morgen schon / Verdorben und vergessen ... Ich konservier euch als Insekt / Im Bernstein der Balladen ..." (49) Die Ballade ist überhaupt eine Form, die Biermann – wie der junge Brecht – meisterhaft beherrscht. Die „Romanze von Rita" z. B., die ein auf einer Tonne stehender Moritatensänger auf jedem DDR-Marktplatz hätte vortragen müssen, entlarvt Ulbrichts Parole von der „sozialistischen Menschengemeinschaft" als Betrug, indem sie einerseits die schlechten Lebensbedingungen der ‚herrschenden Klasse' zeigt, andererseits wirkliche Solidarität schildert. (Die Verquickung von Solidarität und Sexualtrieb ist allerdings eine Pikanterie, die nicht jedem munden wird.) Als poetische Verewigung des ‚Schnüffel-Staates' wird die witzig-böse „Stasi-Ballade" auch unvergessen bleiben. Auch hier geht es um Sexualität und Politik („Schönre Löcher gibt es auch / als das Loch in Bautzen" – 71), und der Dichter bemüht sogar die Freudsche Sublimierungtheorie. Da das wachsame Auge der Stasi seinen „sexuellen Freistil" hemmt, wird er am Schreibtisch um so produktiver: „... die so aufgesparte Glut / kommt dann meinem Werk zugut ..." (70) Das Bild des zwischen Frechheit und Angst Schwankenden ist ein genaues Gegenstück zur „Villon-Ballade" in der *Drahtharfe*, und es wird auch in Zukunft relevant bleiben: Da der abgebildete Rebell kein Übermensch ist, kann man daraus lernen, daß ganz ‚normale' Bürger in sich selbst den Mut entdecken können, den man braucht, um gegen die übermächtigen Verhältnisse anzurennen.

Anläßlich des Erscheinens von *Für meine Genossen* behauptete Thomas Rothschild – einer der besten Biermann-Kenner –, der Lyriker sei „zu einer künstlerischen Reife gelangt, die ihn –

neben Volker Braun und Reiner Kunze – als einen der bedeutendsten Dichter der DDR aus der mittleren Generation ausweist". (*FR* vom 23. 12. 1972.) Dem kann man nur zustimmen, und mittlerweile kann auch die damalige Beschränkung auf die DDR-Literatur entfallen. Einige Gedichte im dritten Band werden zweifellos auch von künftigen Generationen gelesen werden, vorausgesetzt, daß der Umgang mit lyrischen Gebilden weiterhin gepflegt wird. (Biermanns frühe Hinwendung zum Lied bzw. zur Schallplatte ist ein Anzeichen dafür, daß er bereits vor dreißig Jahren die Gemeinde der Gedichteleser dahinschwinden sah.) Das „Hölderlin-Lied" (19) kann z. B. als DDR-Spezifikum aufgefaßt werden („Ausgebrannt sind die Öfen der Revolution), aber es läßt sich genauso gut als Beitrag zur Diskussion um die ‚deutsche Misere' lesen, die das Verhältnis zwischen Geist und Macht einschließt. Die beiden Verse, die jeweils den Anfang der drei Strophen bilden – „In diesem Lande leben wir/ wie Fremdlinge im eigenen Haus" –, wandeln einen Satz aus Hölderlins Briefroman *Hyperion* (1797/99) ab. Dort schreibt Hyperion an Bellarmin, die deutschen Dichter und Künstler „leben in der Welt, wie Fremdlinge im eigenen Hause ..." Bei Biermann sind es nicht nur die Musensöhne und -töchter, die von der Entfremdung betroffen sind, sondern alle Bürger, denen die Kluft zwischen proklamiertem Ideal und gesellschaftlicher Realität zu schaffen macht. Der „Verzweiflungskampf" mit den „Barbaren", dem Hölderlin selbst nur durch die Flucht in die Krankheit bzw. ‚innere Emigration' entkommen konnte, wütet in der deutsch-deutschen Gesellschaft der Nachkriegszeit weiter. Eine neue Lesart des Biermann-Gedichts bietet sich nach dem Zusammenbruch der DDR-Wirtschaft 1990/91 und den damit einhergehenden Verständigungsschwierigkeiten zwischen alten und neuen Bundesbürgern an. In der ersten Strophe heißt es prophetisch: „Die eigne Sprache, wie sie uns / entgegenschlägt, verstehn wir nicht". An Aussagekraft werden solche Verse in absehbarer Zeit kaum etwas einbüßen.

Dasselbe gilt für die Gedichte und Lieder, die von Brecht ausgehen bzw. zu ihm hinführen. Als „Glücksgott" sowie als „Feigenblatt" (so der ‚auferstandene' Augsburger in einem kurzen

Gedicht, das dem Titelblatt gegenüber abgedruckt ist) ist der Mentor für seinen aufsässigen Schüler ein unentbehrlicher Geselle. Mehr noch: Es kommt einem fast so vor, als würde sich Biermann unter den um die Jahrhundertwende Geborenen wohler fühlen als unter den eigenen Altersgenossen. Im schönen Lied „Der Hugenottenfriedhof" (13 f.), das eine Berliner Ruinenromantik atmet, die inzwischen unwiederbringlich verloren ist, gesteht der Dichter dreimal im Refrain: „Wie nah sind uns manche Tote, doch / Wie tot sind uns manche, die leben". Die Liebenden spazieren zwischen den Grabsteinen von Brecht, Helene Weigel (die hier besser wegkommt als im frühen Lied „Frau Brecht"), Hegel, Hanns Eisler, Wolf(-gang) Langhoff und John Heartfield und lassen sich von einem dort als Gärtnerin tätigen „uralte(n) Weiblein" – einer Art Ostberliner Oma Meume – erzählen, wie Berlin zur Zeit der Novemberrevolution 1918 aussah. Nur Johannes R. Becher, der Verfasser von „Auferstanden aus Ruinen" (Schlüsselvers neuerdings: „Deutschland einig Vaterland"), der Brecht in der DDR mancherlei Schwierigkeiten bereitete, muß einen ausnahmsweise subtil formulierten Seitenhieb einstecken: „Von Becher kannst du da lesen / Ein ganzes Gedicht schön in Stein / Der hübsche Stein aus Sandstein / Ich glaub, der wird haltbar sein". Die Darstellung der Naturschönheiten auf diesem Friedhof aus der Sicht des Liebespaares („Da duftet und zwitschert es mitten / Im Häusermeer blüht es …") läßt die Ruhestätte der antifaschistischen Künstler als eine kleine Insel Utopia erscheinen, und dazu gehört auch, daß sich das „Weiblein" an Liebknecht und Luxemburg erinnert. Um zu verstehen, warum ein Besuch auf dieser Insel von Zeit zu Zeit für Biermann (über-)lebensnotwendig war, muß man sich mit dem düsteren Gedicht (nicht: Lied) „Brecht, deine Nachgeborenen" (33 ff.) befassen. Da dämmert es einem allmählich, warum er sich in die frühere Zeit – immerhin die Epoche des Faschismus! – zurücksehnt. Biermann bezieht sich direkt auf das im Exil entstandene Brecht-Gedicht „An die Nachgeborenen" – der Anfang des dritten Teils dient ihm als Motto –, und geht daran, die Hoffnung des Flüchtlings auf kommende „Freundlichkeit" restlos zunichte zu machen. Die „finsteren

Zeiten", die Brecht einst beklagte, dauern hier nicht nur an, sondern sind noch schlimmer geworden. Das Leitmotiv – wie auch in „Warte nicht auf beßre Zeiten" und „Das Hölderlin-Lied" – ist die „Asche", d. h. das, was von den früheren „Träume(n)", „Erwartungen" und „Leidenschaften" übriggeblieben ist. Absoluter Stillstand also, völliges Fehlen einer utopischen Perspektive, wie Brecht sie noch hatte. Nicht der neue Mensch trat auf den Plan, sondern der „gesichtslos(e)" Opportunist. In einer genialen Paraphrase des Brecht-Verses charakterisiert Biermann diese Menschen so: „Öfter noch als die Schuhe die Haltung wechselnd". Das ist wohl der springende Punkt: Die Alten kannten noch klare Fronten, durften am weltweiten antifaschistischen Kampf teilnehmen. Die Heutigen kennen nur noch Ernüchterung. Daß dieses Muster historisch betrachtet kein Novum ist, tröstet nicht. Am Ende des Gedichts steht der Sänger – auch er ein „Nachgeborener" – als „ausgeplündertes Arsenal" da: Er hütet die kleine Flamme der Utopie für all die Angepaßten, die sich seiner Werke bedienen, um sich von den Strapazen des realsozialistischen Alltags zu erholen (wie viele Mitbürger tatsächlich gerade diese Art von Erholung in Anspruch nehmen wollten, sei dahingestellt). Ein Brecht, der ‚rechtzeitig' starb, bevor er sich mit allen Implikationen von Chruschtschows Enthüllungen über die Verbrechen der Stalin-Ära auseinandersetzen mußte, hatte es da leichter. In poetischer Form findet man diese Erkenntnis im Gedicht „Sprache der Sprache" (17), in dem die Schlußverse aus Brechts Agitationsstück *Die Mutter* (1931/32) in das Idiom der Nachgeborenen übersetzt werden: „Wer seine Lage erkannt hat ... / ist verlorener als andere, ach / dem Druck hinzugefügt wird / das drückende Bewußtsein des Drucks".

Wenn *Für meine Genossen* nicht so viele Leser gefunden hat wie *Mit Marx- und Engelszungen* oder gar *Die Drahtharfe,* so hat das weniger mit der künstlerischen Qualität der Texte als mit dem nachlassenden Interesse des (West-)Publikums dem Fall Biermann gegenüber zu tun. Dem Dichter, der sein Handwerk besser verstand als zur Zeit seines Debüts, widerfuhr damit keine Gerechtigkeit. Vielleicht kommt aber ein anderer

Faktor hinzu: Manche Gedichte des Bandes, die m. E. mit die besten sind, ziehen ihre dichterische Kraft vornehmlich aus der Trauer, und das überfordert mit der Zeit auch die treuesten Leser. Eine Quelle dieser Trauer ist die schon vor zwanzig Jahren geäußerte Befürchtung, daß das Blut und die Tränen, die in die vielen Lieder investiert wurden, vergebens geflossen sind. Biermann ahnt, daß seine symbiotische Beziehung zu den DDR-Oberen, die ihm Inspiration sowie Berühmtheit einbringt, eines Tages der Vergangenheit angehören könnte. Im „Kleinen Lied von den bleibenden Werten" (20) stürzen zwar die großen „Lügner", „Heuchler" und „Despoten" von ihren Sockeln, aber sie reißen ihren singenden Kritiker mit: „Und dies zersungene Lied – na, was / Wird bleiben vom Lied? / ... daß es vergessen wurde". Gegen dieses Vergessen, das die Vergangenheits- und damit auch die Gegenwartsbewältigung mehr als erschwert, kämpft er zwar an, aber er übersieht nicht, daß sich die meisten Menschen wie die drei „Heiligen Affen" (46) verhalten. Die Kassandra-Rolle ist eben eine undankbare, und mit dem Spruch im Gedicht „Die Lebenden und die Toten" (61) wollten sich die Deutschen in Ost *und* West 1989 genauso wenig anfreunden wie 1969: „Was vorbei ist, ist nicht vorbei / Was wir hinter uns haben, steht uns bevor ..." Folgerichtig ist die Philippika im Lied „Die hab ich satt!" eine gesamtdeutsche, und sie wird – bei aller Ungerechtigkeit – auch fernerhin denkwürdig bleiben.

Als *Für meine Genossen* herauskam, neigte sich die gerade erwähnte „symbiotische Beziehung" ihrem Ende zu, obwohl das damals nicht vorauszusehen war. Bald sollte ein mit Gewalt herbeigeführter Neuanfang ein Umdenken und -dichten verursachen, und das stand, zumindest in literarischer Hinsicht, sowieso auf der Tagesordnung. Zwischen 1960 und 1976 holte Biermann aus dem ‚Clinch' alles, was poetisch zu holen war, und die Neigung zum Selbstzitat begann allmählich überhandzunehmen. An dieser Stelle sollten einige Beispiele für diese Praxis angeführt werden: Der Vers „... gegen Menschen helfen Menschen / nicht ..." („Ironie reicht nicht aus" – 16) taucht in der „Romanze von Rita" als „... Gegen Menschen / Hilft der Mensch nicht ..." auf (31); der Refrain-Schluß aus dem „Hugenottenfriedhof" („Wie nah sind uns manche Tote, doch / Wie tot sind uns manche, die leben" – 13) steht leicht abgewandelt in der ersten Strophe von „Die Lebenden und die Toten" („Wie übertot sind uns diese Lebenden, ach / In uns: wie lebendig diese Erschlagenen!" – 61); die Abneigung der Orthodoxen gegen innersozialistische Kritik in der „Ballade für einen wirklich tief besorgten Freund" („Du sagst uns: Es nütze dem Klassengegner" – 59) war schon im früheren Gedicht „Frage und Antwort und Frage" vorgekommen („Du sagst: Das Eingeständnis unserer Fehler / Nütze dem Feind" – *MME*, 18); das Bild des versunkenen Schiffes in „Brecht, deine Nachgeborenen" („... Die gesunkenen Planken ...") erinnert sehr an den um seine Potenz Bangenden in der „Bilanzballade im dreißigsten Jahr" („Die Planken faulen langsam weg" – *MME*, 58), und in der „Populär-Ballade" kann man schließlich sogar – sofern man zu den Eingeweihten gehört – ein ‚Zitat im Zitat' entdecken: In der zweiten Strophe wird der „Gouverneur in Halle" Horst Sindermann zitiert, der wiederum in seine Drohworte gegen den Dichter das Wort des „Milchmanns" aus dem Gedicht „Frühzeit" (*DH*, 49) eingeflochten hatte. Solche Samisdat-Kassiber – vgl. die kleine ‚Samisdat-Fibel' im Gedicht „Über bedrängte Freunde" (86 f.) – können unter Umständen wirkungsvoll sein, aber früher oder später mußte von einem solchen Zwiegespräch mit der ‚Biermann-Gemeinde' Abschied genommen werden. Bis zur Ausbürgerung war der ‚Wohnzimmer-Barde' leider dazu verdammt, viel zu lange im eigenen Saft zu schmoren.

Im Jahre 1969 erschienen die ersten Biermann-Interviews in der westdeutschen Presse, und das erste *Spiegel*-Gespräch – eine Art Meilenstein auf dem Weg zum Dauerausweis für die bundesrepublikanische Öffentlichkeit – wurde 1971 (in Nr. 10) abgedruckt. Der letzte Teil dieses Gesprächs behandelt politische Fragen, aber der Anfang kreist um das Theaterstück *Der Dra-Dra*, dessen Uraufführung damals an den Münchner Kammerspielen vorbereitet wurde. Daß es dieses Stück überhaupt gab, hatte mit einem anderen – gescheiterten – Projekt zu tun. Der Regisseur Benno Besson hatte Anfang der 60er Jahre vor, das politische Märchendrama *Der Drache* des Sowjetrussen Jewgenij Schwarz (1896–1958) am Deutschen Theater in Ostberlin zu inszenieren. Besson bat Wolf Biermann um eine Bearbeitung mit Songs, die das im Zweiten Weltkrieg entstandene Drama aktualisieren sollten. Das Berufsverbot kam jedoch dazwischen, und *Der Drache* ging 1965 ohne die erbetenen Einfälle und Einlagen über die Bühne. Aus der Bearbeitung wurde ein eigenständiges Stück, das 1970 bei Wagenbach herauskam und 1971 in München und Wiesbaden uraufgeführt wurde. Acht Jahre nach der von oben verordneten Schließung des ‚b. a. t.‘ konnte Biermann also sein Debüt als Dramatiker feiern, aber ein Theaterskandal ließ das Stück selbst schnell in Vergessenheit geraten.

Nach den Auseinandersetzungen um die Verleihung des Westberliner Fontane-Preises 1969 – Biermann hatte die 10 000 Mark an die außerparlamentarische Opposition weiterleiten lassen – stand der Verbotene wieder im Mittelpunkt einer Kontroverse im Westen. Das Stück von Schwarz war 1944 nach einer einzigen Vorstellung in Leningrad abgesetzt worden, weil es als eine Allegorie über den Stalinismus interpretiert werden konnte; in München kam es dann 27 Jahre später zu einem Skandal, und zwar nicht in erster Linie wegen des Biermannschen Stückes, sondern wegen eines Programmheftes, das nie gedruckt wurde. Auf ungeklärte Weise kam Günter Grass, der gerade als SPD-Wahlhelfer agierte, in den Besitz des Programmheft-Entwurfs, und er empörte sich über 24 Fotos von wichtigen Persönlichkeiten der westdeutschen Politik und Wirtschaft (u. a. dem Münchner SPD-Oberbürgermeister Hans-Jochen Vogel), die als Brut des kapitalistischen ‚Drachen‘ aufgefaßt werden sollten. Grass warf dem Chefdramaturgen Heinar Kipphardt vor, er habe Biermanns Stück mißbraucht, um „Abschlußlisten“ aufzustellen und „Lynchjustiz nach historischem Muster zu entfesseln“. (*SZ*, 30. 4./1./2. 5. 1971.) Obwohl Kipphhardt – dessen Vater 1933 im KZ interniert worden war – weder der Regisseur des *Dra-Dra* noch der Gestalter des Programmheftes war (das schließlich mit zwei leeren Seiten erschien), wurde er entlassen. Dabei hatte Biermann einige Wochen zuvor im oben erwähnten *Spiegel*-Gespräch klargestellt, was er mit einer Aufführung im Sinn hatte: „Ich habe dem Regisseur der Uraufführung [d. i. Hansgünther

Heyme, d. Vf.] geraten, eine Aktion zu initiieren, in der das Publikum aufgefordert wird, den so gut versteckten und zugleich allgegenwärtigen kapitalistischen Drachen zu suchen und das Bühnenbild des Theaters von Mal zu Mal zu bereichern durch alle Köpfe oder andere Körperteile, die auffindbar waren." Von ‚Mißbrauch' konnte also keine Rede sein.

Im Jahr vor der Uraufführung versuchte Biermann in einem Interview, die Unterschiede zwischen seinem Stück und demjenigen seines Vorgängers Schwarz zu verdeutlichen. (I&G 1970) Die „Sklavensprache", die dieser zur tiefsten Stalin-Zeit habe verwenden müssen, sei ihm zuwider: „Schwarz' *Drachen* ist ein Märchenstück mit politischen Spitzen. Mein *Dra-Dra* ist ein politisches Stück mit Märchenspitzen." Es ist jedoch berechtigt, die Frage zu stellen, ob das, was Biermann vorlegte, als ein ‚Stück' bezeichnet werden sollte. Nicht umsonst sprachen manche Theaterkritiker 1971 von einer „Moritat", einem „Politmusical" oder einer „Revue". Das ungewöhnliche Personenverzeichnis weist auch in diese Richtung: Links stehen die „Musiken" (acht Balladen, eine Hymne, ein Miserere u. a.), rechts die Gestalten, die jeweils singen. Das erinnert gewissermaßen an die Struktur des *Wintermärchens,* bei dem die Handlung auch von Liedern unterbrochen wird. Dort finden sich aber nur fünf Lieder, während es im *Dra-Dra* insgesamt dreißig „Musiken" gibt. Die Fabel ist auch rasch erzählt. Der Drachentöter Hans Folk befreit mit der Hilfe von Tieren (die menschlicher sind als die unterwürfigen Bürger) eine Stadt von der Schreckensherrschaft eines alten Drachen. Untermauert wird diese alte Geschichte von sozialistischer Theorie und Taktik. Neu ist nur die Wende am Schluß: Nach dem Tod des Drachen wird Folk vom zur „Drachenbrut" gehörigen Gouverneur (man denke an Horst Sindermann!) meuchlerisch überfallen und enthauptet, und das alte Regime wird unter neuem Vorzeichen wieder eingesetzt. Durch ein Zaubermittel („die Wurzel des Lebens") kann Folk wieder „repariert" werden, und am Ende müssen die „Knechte", die das Terror-Regime mit aufrechterhalten haben, „für ewig" im Arschloch des toten Drachen bleiben, damit die Despotie ein für allemal ein Ende nimmt.

Kern der Handlung ist der Kampf des Drachentöters mit dem Drachen bzw. seinen beflissenen Untertanen. Diese werden in der Schlußballade noch einmal aufgezählt, und da heißen sie u. a. „Heuchler", „Kriecher", „Bonzen", „Pfaffen", „Spitzel", und „Henker". Auch die dienstwilligen „Dichter" und „Denker" kommen nicht davon. Obwohl das Ganze in einem Märchenreich stattfindet, also beliebig abwendbar sein sollte, gibt es für DDR-Kenner so viele Anspielungen auf den real existierenden Sozialismus sowie den Konflikt zwischen Biermann und der Parteispitze, daß es ihnen schwerfallen müßte, den Drachen im Westen zu orten. Das läßt sich schon anhand der ersten Szene („Die Haßfeier") veranschaulichen. Da hört man von „umfassender demokratischer Diskussion" (13), „Elementen" (14), vom Kontrast zwischen den unfreiwillig provinziellen Bürgern und dem weitgereisten Führer („Ihr mußtet die Welt nicht kennenlernen / aber ich kenne die Welt" – 15), vom Personenkult („Ich lehne diese übertriebene Liebe zu meiner Person ab" – ebd.) und von einem „Kunstwerk im schlichten Volkston", das vom „Leibrezitator" vorgetragen wird (16). In der dritten Szene („Der Drache rettet seinen Feind") ist die Konstellation auch eine wohlbekannte: Der Drache sorgt dafür, daß sein lang ersehnter Gegner Hans Folk unangetastet bleibt, denn ein „Dra-Dra, der kein' Feind hat / wird matt und satt" (33). Später übernehmen die beiden „Stadt-Schützer" die Leibwache. Da kann man einfach nicht umhin, an Biermann zu denken, dessen erstes *Spiegel*-Gespräch „Ich bin ein staatlich anerkannter Staatsfeind" betitelt war, der in der „Stasi-Ballade" seine ‚Beschützer' verewigte. Es dürfte zwar möglich sein, den *Dra-Dra* als ein antikapitalistisches Märchen zu inszenieren, aber man müßte einiges zurechtbiegen bzw. hinzufügen – oder aber man vertraute auf die Entwicklung zur ungebildeten Nation, d. h. zu einem Leben ohne Geschichte und Erinnerung, in dem die Zuschauer – falls es sie noch geben sollte – unfähig sind, Parallelen zwischen dem Dargestellten und der Zeitgeschichte zu erkennen.

Im Einbandtext der Wagenbach-Ausgabe stehen die Worte „In Szene gesetzt mit viel Theaterklamauk …", und gerade das scheint die Stärke des *Dra-Dra* auszumachen. Die meisten Kritiker der Uraufführung(en) fanden an der Fabel und an den Dialogen viel auszusetzen; wenn der Abend dann – zumindest für manche – trotzdem ein Genuß war, so lag das an der „Phantasie" in den Songs (*FAZ* vom 27. 4. 1971) und am Spektakel, wie es Ivan Nagel in der *Süddeutschen* (24./25. 4. 1971) formulierte: „Ein gutes Stück? Eine bedeutende Aufführung? Eine wichtige politische Provokation? Dies alles ist *Der Dra-Dra* nicht, dafür aber eine kräftige, gewagte theatralische Erfahrung, die es mitzumachen lohnt." Auf den ersten Blick scheint dieses Urteil Biermanns Absichten entgegenzulaufen, aber man sollte nicht vergessen, daß er im *Spiegel*-Gespräch gerade auf das spielerische Element hinwies: „In Deutschland würde ich dieses Stück mit einem hysterisch überdrehten Kulinarismus spielen." Er sagte das, um sich sowohl vom „elitären und zugleich moralisierenden" dokumentarischen Theater als auch von der im Berliner Ensemble leider zum Ritual erstarrten „großartige(n) Brechtsche(n) Kargheit" abzugrenzen. Eine solche Beurteilung des Dokumentartheaters ist recht einseitig, aber man sollte nicht vergessen, daß diese Stilrichtung in der DDR (Import der Stücke von Hochhuth, Kipphardt und Weiss) nicht subversiv, sondern durch die Kritik am Westen staatserhaltend war. Im *Dra-Dra* trifft man auf dieselbe Freude am Spiel mit der Sprache, die für viele Gedichte und Lieder charakteristisch ist, mit dem nicht unwesentlichen Unterschied, daß man mit einer etwa dreistündigen Aufführung konfrontiert ist. Der „Ja-Gesang" (16 f.) ist ein Bravourstück, und die Drachen-Arie „Ein Leben ohne Feinde iss / wie Frühstück ohne Jungfernpiss ..." (31 ff.), bei der der Drache und der Gouverneur wie Meistersinger miteinander konkurrieren, sprudelt über von Einfällen, aber die Fähigkeit des Zuschauers, derartige sprachliche Trapezakte zu verfolgen, erlahmt mit der Zeit. (Vgl. Teil 3, in dem der Blinde und der Lahme nicht weniger als zwanzig Verse rezitieren müssen, die sich auf „vertiert" reimen. – 61 f.) Es gibt allerdings ein Publikum, das nicht so schnell ermüdet und von Sprachspielen fasziniert ist, nämlich im Kinder- und Jugendtheater. Man hat die Stücke von Jewgenij Schwarz „Märchenkomödien für Erwachsene" genannt, aber vielleicht sollte *Der Dra-Dra* als eine Märchenkomödie für die Jugend betrachtet werden. Das Westberliner GRIPS-Theater, das die Kluft zwischen Jugend- und Erwachsenentheater so meisterhaft zu überbrücken weiß, wäre eine geeignete Spielstätte.

Im April 1990 konnte das Stück endlich in der DDR aufgeführt werden, und zwar am legendären „b. a. t.", laut *taz* (25. 4. 1990) nunmehr ein „Kiez- und Experimentiertheater am Prenzlauer Berg". Das Stück wurde als Musical präsentiert und durch Hinweise auf die Ereignisse von 1989/90 aktualisiert („Drachenbrut" = „Wendehälse"). Durch den Erfolg beim meist jungen Publikum fühlte sich die Feuilleton-Redaktion der *Welt* in ihrem Urteil bestätigt: Am 26. 4. 1971 hatte Friedrich Luft von einer „falsche(n) Übung des falschen Stückes am falschen Platz" gesprochen, und am 25. 4. 1990 konnte Lorenz Tomerius in bezug auf die „*Dra-Dra-* Moritat" am „b. a. t" verkünden: „Genau dort gehört sie hin." Fast bestürzender war allerdings der amerikanisch anmutende Gegenwartsfetischismus in der Kritik des *Tagesspiegel* (21. 4. 1990), wo sich die Kritikerin Susanne Kippenberger über die Aktualität des „uralten" Stückes verwunderte! Die Verbreitung einer so gearteten (Anti-)Geschichtsauffassung ist weder der Bevölkerung der ehemaligen DDR im allgemeinen noch dem Biermann-Publikum im besonderen zu wünschen.

Da das Thema ‚Biermann und die junge Generation' im Zusammenhang mit dem *Dra-Dra* angeschnitten wurde, wäre es angebracht, auf einen Aspekt von Biermanns Schaffen hinzuweisen, der selten diskutiert wird – vielleicht deshalb, weil er nicht in die politisch-kontroverse Debatte paßt. Damit sind seine beiden Märchenbücher und die LP *Der Friedensclown* („Lieder für Menschenkinder") gemeint. Der Liedermacher, der die seit längerer Zeit gespielte Vaterrolle ernst nimmt und sich darüber Gedanken macht (vgl. z. B. den Text „Revolutionäre Tätigkeiten" in *VW*, 49), hat einige Gedichte für und über seine Kinder geschrieben: „Nelli", „Willkommenslieder" für die Zwillinge Marie und Til, „Til gezeichnet Familienidyll" und „Marie". Die Zwillinge sind auch auf der Plattenhülle von *Wir müssen vor Hoffnung verrückt sein* abgebildet. Als Verfasser von Texten für Kinder tritt Biermann manchmal als Didaktiker auf, aber nicht immer. Man kann *Das Märchen vom kleinen Herrn Moritz* (Erstdruck 1966, Buchausgabe 1972) als eine zeitlose Parabel über die ewige Sehnsucht der Deutschen nach Freundlichkeit und Wärme lesen, aber das Schicksal des „kleinen Herrn" ist natürlich auch paradigmatisch für die Lage während der ‚Eiszeit' in der DDR. Das amtlich nicht vorgesehene Blühen von bunten Blumen unter dem Hut der Titelfigur kann vom wachsamen Ordnungshüter nicht geduldet werden, ebensowenig wie die alternative, in den Untergrund getriebene Subkultur von den Kulturpolitikern ignoriert werden kann. Da der Westberliner Maler Kurt Mühlenhaupt die schönen Illustrationen des Bandes beisteuerte, wurde die künstlerische Vereinigung der beiden Hälften Berlins zwischen zwei Buchdeckeln vorexerziert. Im *Märchen von dem Mädchen mit dem Holzbein* (1979) (vgl. das Brecht-Gedicht „Das Mädchen mit dem Holzbein") gibt es ein Happy-End, aber kein zuckersüßes. Das Mädchen Marie, das nicht Mitleid, sondern ein normales Leben will, erhält am Schluß auf wunderbare Weise „ein richtiges Bein", während ihr Verlobter, der sie am Hochzeitstag im Stich läßt, plötzlich einen Holzkopf bekommt. Anders als im ersten Märchen ist der Klassenstandpunkt des Autors unübersehbar. Die ‚Guten' sind die Leute von unten (Marie und ihre Eltern, der hilfreiche alte Tischler, der immer schönere Holzbeine macht), und die Bösen kommen von oben (der Vater des wankelmütigen Bräutigams ist „Medizinprofessor"). Ähnliche Verhältnisse herrschten übrigens auch im frühen Stück *Berliner Brautgang*. Auf der Platte *Der Friedensclown* (1977) setzt Biermann eine ganze Palette von musikalischen Ausdrucksmitteln ein. Die „laute Seite", auf der ein Publikum aus Kindern und Erwachsenen mitmacht, ist von Klamauk geprägt. Beim Lied „André François, der Friedensclown" schlägt der Sänger auf der Gitarre ganz einfache Akkorde an, was sonst nie vorkommt. Das Singen bzw. Erzählen (das „Holzbein-Märchen" ist auch auf dieser Seite zu finden) wird ständig unterbrochen, aber bei aller scheinbar anarchischen Stimmung läßt sich Biermann nicht beirren, d. h. er singt/erzählt seinen Text stur bis zum Schluß weiter. Hier erscheint er wirklich als gütig-strenger Pater familias. Auf der „leisen Seite" singt er ohne Publikum und interpretiert sowohl eigene Lieder als auch traditionelle Weisen. Hier werden die Kinder weder inhaltlich noch formal bevormundet. „Groß Manne – klein Manne" und „Frühjahrslied der Eisenbahnerin" etwa sind typisch melancholische Biermann-Lieder in Moll, und die schlichte Schönheit von „Tanz was, kleine Puppi!" hat einen eigentümlichen Reiz. „Der Alte sprach zur Alten" nimmt den eher experimentellen – und anspruchsvollen – Stil der Platte *Hälfte des Lebens* vorweg. „Muschi Mau" ist die Geschichte einer Katze, die drei Junge wirft, von denen nur eines überlebt: Auf keinen Fall wird den Kindern eine heile Welt vorgegaukelt (das zweite Kätzchen wird von der Mutter gefressen!), was noch heute in der Kinderliteratur oft passiert. Es wäre zu hoffen, daß sich der Liedermacher und Märchenerzähler auch in Zukunft diesem Genre widmen wird.

Im Dezember 1971 sagte der Ulbricht-Nachfolger Erich Honecker etwas, was seitdem immer wieder zitiert worden ist: „Wenn man von den festen Positionen des Sozialismus ausgeht, kann es meines Erachtens auf dem Gebiet von Kunst und Literatur keine Tabus geben." Im darauffolgenden Sommer ergänzte Kurt Hager, dies schließe aber „jede Konzession an bürgerliche Ideologien und imperialistische Kunstauffassungen" aus. (Beide zitiert nach Jäger, 1982, 136.) Es erübrigt sich festzustellen, daß diese Worte kein Entgegenkommen der Partei Biermann gegenüber bedeuteten. Bei den Weltjugendfestspielen 1973 in Ostberlin (Rudi Dutschke war auch dabei) wurde der Sänger von Passanten, die ihn erkannten, zu einem Impromptu-Konzert aufgefordert, und er sang (ohne Gitarre) und diskutierte über zwei Stunden lang auf dem Alexanderplatz. Es war wohl nur die Anwesenheit von vielen Gästen aus dem Ausland und Vertretern der West-Presse, die diesen Auftritt ermöglichte. Als Biermann 1974 den Offenbach-Preis der Stadt Köln erhielt, durfte er nicht zur Preisverleihung fahren, und ein Jahr später wurde aus der geplanten Teilnahme an einer Veranstaltung gegen den spanischen Diktator Franco auch nichts, weil man ihm die Ausreisegenehmigung nicht aushändigte. Abgesehen von einem Konzert in einer Prenzlauer Kirche (1976; vgl. unten) blieb das Druck- und Auftrittsverbot für die DDR in Kraft. Biermann bemühte sich um einen Modus vivendi mit der SED, der es ihm erlauben würde, sich allmählich wieder in das – öffentliche – kulturelle Leben zu integrieren, aber die Funktionäre legten ihm eher eine Rücksiedlung in die BRD nahe. (Vgl. dazu u. a. Klunker, 1977, 868 und Riewoldt in Antes, [2]1980, 6). Trotz des Reiseverbots gen Westen (und gen Osten: er sei nicht würdig, die DDR im sozialistischen Ausland zu vertreten, sagte man ihm) war er in der ersten Hälfte der siebziger Jahre in der BRD durchaus präsent. Der *Spiegel* brachte ein zweites, ausführliches Gespräch (1973), man porträtierte ihn im Fernsehen (ZDF, 1972; ARD, 1974), seine Bemerkungen zum Berufsverbot erregten Aufsehen und Widerspruch (1974) und sein Wechsel von Wagenbach zum US-Schallplattenkonzern CBS (1973) galt manchen West-Linken als Verrat (daß sich die Gemüter darüber erhitzten, ist aus heutiger Sicht kaum noch begreiflich). Jenseits dieser Einzelerscheinungen waren es die vier neuen Platten, die zwischen 1973 und 1976 produziert wurden, die dafür sorgten, daß Biermann nicht nur nicht vergessen (vgl. Dieter E. Zimmer 1967!), sondern stets im Gespräch blieb. Als eine Art Schlußwort zu den DDR-Jahren sollen diese LPs im folgenden zumindest stichwortartig charakterisiert werden.

Die Platte *Warte nicht auf beßre Zeiten* (1973), die Lieder aus den ersten drei Lyrikbänden enthält (das Titel-Stück stammt noch aus der *Drahtharfe*), birgt für den Hörer einige Überraschungen. Ausgehend von den Titeln würde man eigentlich viel Bitternis erwarten, aber man wird eher mit Kraft und Trotz konfrontiert. Die „Bilanzballade" wird z. B. ganz ohne Märtyrer-Pathos gesungen, und der Schmerz, den die ‚Republikflucht' Florian Havemanns verursachte, verschwindet fast in der geschickten Rundfunkmontage, die das Lied „Enfant perdu" aufbricht. Beim „Hugenottenfriedhof" dominiert auch die Lebensfreude, nicht der Ärger mit den Zeitgenossen, der zu diesem Text führte, und der Titel der LP ist auch eine Aufforderung zum Dialog und zur Aktion. Das Foto auf der Plattenhülle zeigt auch einen entschlossen dreinblickenden Sänger zusammen mit dem Freundeskreis im bohemienhaft-subversiven Widerstandsnest. Wer dagegen die bereits im Jahr darauf erschienenen Platte *aah-ja*! in die Hand nimmt, sieht einen einsamen Provokateur, der schreiend singt. Dieser Sänger wird von Marx, Engels, Lenin und Stalin (die Gesichtszüge des Nachfolgers sind verschwommen) fast aus dem Bild gedrängt. Die Nahaufnahme auf der Rückseite ist auch nicht gerade ermutigend: Die eine Gesichtshälfte ist fast ganz im Dunklen, und die andere ist von den Konflikten des letzten Jahrzehnts deutlich gezeichnet. Auf dieser LP kommt es dann auch zu den „Erstickungsanfällen", die Fritz Raddatz vor allem in *Für meine Genossen* registrierte (vgl. *Die Zeit* vom 24. 11. 1972). Die Stimme hört sich heiser und müde an, auch in den drei „Ermutigungen". Im „China"-Lied ist der Spott so beißend, der Haß so grenzenlos, daß man sich kaum vorstellen kann, wie es mit dem Dichter weitergehen soll. Abgesehen vom Weggehen trifft man auf zwei Alternativen, nämlich den Gang in die Zelle („Populär-Ballade") oder gar in den Tod: Im erst 1991 gedruckten Lied „Vorfrühling" – einem Text, der mit Hofmannsthals vor einem Jahrhundert entstandenem, impressionistisch-unverbindlichem Gedicht nur den Titel gemeinsam hat – sterben die „allzu frühen Blumen". (*AL,* 106) Solch eine düstere Stimmung war einst in „Frühzeit", wo es auch um „Zufrühgekommene" ging, nicht einmal in Ansätzen zu verzeichnen. Kann es bloß Zufall sein, daß Biermann hier die 6. Strophe der „Populär-Ballade" so vorträgt, daß das Wort „Nationalpreis" wie „Nazi-onalpreis" klingt?

Auf der LP *Liebeslieder* (1975) wurde eine dritte Alternative ausprobiert, allerdings nicht freiwillig. Die Liebesbeziehung zu Tine Barg, der Tochter eines hohen SED-Funktionärs, ging fast in die Brüche, weil der ‚Staatsfeind' als potentieller Schwiegersohn untragbar war. Tine beugte sich eine Zeitlang dem Druck ‚von oben', und in der „Zeit der Trennung" entstanden die (meisten) Lieder, die auf die neue Platte kamen. Hierzu sagte Biermann: „Die Lieder ... haben ... alles und nichts mit Tine zu tun. ... Das ist ja eben die polemische Dimension dieser Liebeslieder, daß gesellschaftliche Verhältnisse angegriffen werden, weil sie menschliche Beziehungen zerstören wollen – und das noch dazu unter dem Firmenschild Sozialismus." (I&G 1975, 2 f.) Diese Worte beschreiben übrigens ziemlich genau den Hintergrund von Volker Brauns *Unvollendeter Geschichte,* die auch 1975 erschien; das läßt ahnen, daß Biermann und Braun von exemplarischen Schicksalen sprechen. Der Unterschied zwischen den beiden Schöpfungen liegt aber darin, daß Biermann kein fremdes Lieben/Leiden zum Ausgangspunkt nimmt, sondern sein eigenes. Am Anfang ist er berauscht wie ein ganz junger Liebhaber (der er auch war, als er das Eingangslied „Die grüne Schwemme" schrieb), aber nach der Krise ist er zu Tode betrübt und ungeheuer verwundbar („Bin mager nun und fühle mich"). In der „Bibel-Ballade" wird die Lage des Sängers ins Zeitlos-Mythische gehoben und gleichzeitig zeitgeschichtlich genau fixiert. Die Privatsphäre ist hier weder privat noch ein Ausweg aus den sonstigen Konflikten. Als letzte Alternative wird die Hinwendung zu einer heroisch-tragischen Epoche in der Geschichte der linken Bewegung versucht: Biermann sucht auf der Platte *Es gibt ein Leben vor dem Tod* (1976) Kontakt mit den Opfern des Spanischen Bürgerkriegs, und das heißt nolens volens auch mit seinem Vater (vgl. den Text „Ein Wiedersehn" auf der Plattenhülle). Von Sentimentalität fehlt hier jedoch jegliche Spur, denn es geht ja um eine Reihe von schmerzhaften Niederlagen, über die „Die schönen Lieder / Die traurigen Lieder" („Bedenkelied") nicht hinwegtrösten können. Die Kampflieder aus ferner Zeit werden ganz ohne heldenhafte Pose gesungen, und die neuen, z. B. die „Ballade vom Kameramann", warten auch mit bitteren Wahrheiten auf: „Aus Mündungen kommt die Macht ja / Und kommt aus den Mündern nicht!" Angesichts dieser besonders für einen Künstler niederschmetternden Erkenntnis ist es unverständlich, wie Biermann auf derselben Platte die „Preußische Romanze" singen konnte, in der die Gitarre als „sechs-Schüsse-MP" bezeichnet wird, es sei denn, er wollte eigene Illusionen aus einer früheren Zeit nicht kaschieren. Was die Zukunft betrifft, hatte er jedenfalls keinen Balken im Auge: Die „Ballade von den Spaniern im Dresdener Exil", die auch ein erschütterndes Bild von Exil-Chilenen zeichnet, beschwört – wie ehedem die „Ballade vom Traum" – die schlimmste Befürchtung des Dichters herauf. Wird auch er dereinst „das große Bitterwort Exil" auf der Zunge haben?

III. Die Ausbürgerung und ihre Folgen

> Ich halt mich fest hier, bis mich kalt
> Dieser verhaßte Vogel krallt
> und zerrt mich übern Rand.

In den „Anmerkungen" zur Spanien-Platte erwähnt Biermann das Buch *Spanien nach Franco* von Santiago Carrillo, dem Generalsekretär der spanischen KP. Nach der Lektüre wisse er, „daß die Position der KPSp in allen wichtigen Fragen der internationalen Arbeiterbewegung so gut wie identisch" mit seinen Auffassungen sei. In diesem Zusammenhang spricht er auch von den französischen und italienischen Kommunisten, und er betont, daß die „Genossen" in den drei Parteien dafür einträten, „daß nach einer Revolution dem Volk kein Maulkorb verpaßt wird". Bei einem Fernsehgespräch („Tagesthemen") über das Thema „30 Jahre SED" im April 1976 stellte er fest, Carrillos Buch habe er „mit Erstaunen und großer Freude" gelesen; es enthalte Ideen, „für die man in der DDR noch immer zwei bis fünf Jahre Knast kriegen würde". (I&G 1976 a) Das Phänomen, das hier beschrieben wird, ist der sog. „Eurokommunismus", der in der Mitte der 70er Jahre viel Aufmerksamkeit beanspruchte. Obwohl sich die drei ‚romanischen' KPs nie auf eine gemeinsame Politik auf allen Gebieten einigten, gab es einige grundlegende Stellungnahmen, die die (mehr oder weniger heimlichen) Reformkommunisten in Osteuropa, also auch in der DDR, aufhorchen ließen. Dazu gehörten u. a. die Kritik am verknöcherten Marxismus-Leninismus, die Ablehnung der absoluten Führungsrolle der KPdSU zugunsten eines Polyzentrismus, die Verbindung von Sozialismus und Demokratie und die Suche nach einem ‚dritten Weg' zwischen dem real existierenden Sozialismus und der westeuropäischen Sozialdemokratie. (Vgl. Priester, 1982, 9–15.) Dies alles war zwar nicht neu, aber es fiel in der Periode der Breschnewschen Stagnation auf fruchtbaren Boden. Im Juni 1976 fand die (Ost-) Berliner Konferenz der kommunistischen Parteien statt, und das *Neue Deutschland* mußte die Reden von Berlinguer, Carrillo und Marchais abdrucken. Auf diese Weise fanden die eurokommunistischen Vorstellungen weite Verbreitung in der DDR. Diese Entwicklung verfolgte Biermann mit großem Interesse, und in einem Brief an seine Mutter, den der *Spiegel* unter dem Titel „Es gibt ein Leben vor dem Tod" (Nr. 39, 1976) veröffentlichte, äußerte er sich zuversichtlich wie schon lange nicht mehr: „Vielleicht kommt nun doch einiges in Bewegung. Die Berliner Konferenz hat vielleicht doch manche alten Genossen nachdenklich gemacht."

Der Brief, aus dem diese Sätze stammen, dreht sich um Biermanns ersten öffentlichen Auftritt in der DDR seit 1965. Die evangelische Kirchengemeinde in Prenzlau (Uckermark) hatte ihn eingeladen, an einem Gottesdienst teilzunehmen, und im September tat er das auch, ohne daß Polizei oder Stasi einschritten. Die weder genehmigte noch verbotene Veranstaltung empfand der Sänger als ein „ermutigendes Zeichen", und er hielt – auf seine Weise – eine „Predigt gegen die Republikflucht". Rückblickend erscheint es, als hätten die führenden Genossen das Treffen in der Nikolaikirche vor allem deshalb erlaubt, um beim Verbotenen die Hoffnung auf eine günstige Wende in der Behandlung seines Falles zu erwecken, ohne daß er zu Kreuze kriechen müßte. Bereits im Mai hatte sich in Bochum die Initiative „Freiheit der Meinung, Freiheit der Reise für Wolf Biermann, Wolf Biermann nach Bochum" gebildet, die sich um die Erteilung eines Visums bemühte, damit Biermann in der BRD singen könnte. Nach einem Besuch in der Chausseestraße wurde im Juni die Einladung abgeschickt; Biermann sagte zu, und zur allgemeinen Verwunderung erhielt er tatsächlich das West-Visum, das ihm 1974 und 1975 verweigert worden war. Am 13. November trat er in Köln auf, und drei Tage später erfuhr er – aus dem Autoradio –, daß die „zuständigen Behörden" ihn gerade ausgebürgert hatten. Was war geschehen? War der sonst so Gewiefte, der große Skeptiker in eine Falle getappt, hatte er sich

„übertölpeln lassen", wie Wolfgang Ignée schrieb (*StZ*, 18. 11. 1976)? Hatte er die Zahl bzw. den Mut der Eurokommunismus-Sympathisanten in den Reihen der SED maßlos überschätzt? Oder hatte er sich nach den langen Jahren der Isolation beim Prenzlauer Ausflug in die Öffentlichkeit an den Gunstbezeigungen des Publikums so sehr berauscht, daß sein politisches Urteilsvermögen von der Sehnsucht nach dem befreienden ‚Bad in der Menge' außer Kraft gesetzt wurde? Obwohl man vielleicht nie eine klare Antwort auf diese und andere Fragen bekommen wird, läßt sich nicht bestreiten, daß am 16. November 1976 eine neue Phase im Leben und Schaffen Wolf Biermanns begann. Ehe man sich mit dem Auf und Ab dieser Phase befaßt, sollte man sich vergegenwärtigen, was für Wellen die Ausbürgerung damals schlug, und wie sie sich auf das kulturelle Leben in den beiden deutschen Staaten auswirkte. Der Einfachheit halber wird im folgenden – sofern nicht anders angegeben – aus der Dokumentation *Über Wolf Biermann* (1977) zitiert.

Das *Neue Deutschland* brachte am 17. 11. eine Kurzmeldung über die Ausbürgerung – mit der danach oft wiederholten Behauptung, Biermann sei selbst daran schuld – und einen langen Kommentar von „Dr. K.", d. i. Günter Kertzscher, dessen einstige Mitgliedschaft in der NSDAP westlichen Kolumnisten nicht entging. Kertzscher warf dem Sänger im Hinblick auf das Kölner Konzert „Haß", „Verleumdungen", „Beleidigungen" und „massive Angriffe" gegen die DDR vor und bemerkte empört, dieser habe „über zehn Jahre" in der DDR gelebt, „ohne zu arbeiten" (!) und habe seine „Treuepflicht gegenüber dem Staat" verletzt. Gleichzeitig versuchte er, den ganzen Fall als eine bloße Fußnote in der Geschichte der DDR hinzustellen: „Er verschwindet in der dunklen Masse der antikommunistischen Krakeeler." (10 f.) Zwei Tage später hatte Biermann in der ARD die Gelegenheit, auf diese Vorwürfe zu reagieren, und er bezeichnete seine Äußerungen in der Kölner Sporthalle als „kritische Solidarität mit dem Sozialismus in der DDR, mit den Menschen, die dort leben". (Vgl. Roos, 1977, 41.) Bald mußte er jedoch einsehen, daß seine Erklärungen auf taube Ohren trafen, da das Politbüro keine Neigung zur Revision seines Beschlusses verriet.

Dafür tauchte unerwarteterweise eine andere Erklärung auf, die einen großen Wirbel verursachte. Prominente DDR-Kulturschaffende, darunter Stephan Hermlin, Stefan Heym und Christa Wolf, appellierten am 17. 11. an die SED-Führung, „die beschlossenen Maßnahmen zu überdenken". (59) Die Petition, die bis zum 21. 11. über 100 Unterzeichner fand, war kein flammender Aufruf, sondern eher eine diplomatische Note (man protestierte zwar gegen die Ausbürgerung, aber auch gegen die Versuche, „die Vorgänge um Biermann gegen die DDR zu mißbrauchen"). Trotzdem war die Tatsache an sich, daß eine Gruppe von DDR-Bürgern – die meisten auch SED-Mitglieder – in der Öffentlichkeit Kritik an einer Entscheidung des höchsten Parteigremiums übte, eine Sensation. Eine derartige Herausforderung hatte es seit fast zwei Jahrzehnten nicht mehr gegeben, und dies passierte keine sechs Monate nach den Reden der Eurokommunisten in Berlin. Gegen die Petenten wandte die SED-Führung eine ganze Palette von Maßnahmen an, vom Parteiausschluß bis zur einfachen Rüge. Die differenzierte Behandlung, die bis 1989 fortgesetzt wurde, sorgte für Unruhe und Uneinigkeit und unterminierte die aufkeimende Solidarität. Im Westen eher unbekannte Gestalten wie Jürgen Fuchs, Gerulf Pannach und Christian Kunert kamen ins Gefängnis und wurden später in den Westen abgeschoben, und Robert Havemann wurde unter Hausarrest gestellt. Nicht lange danach begann ein regelrechter Exodus von Autoren in den Westen mit polemischer Begleitmusik von beiden Seiten. Es gingen weg: Günter Kunert, Sarah Kirsch, Reiner Kunze, Hans Joachim Schädlich, Jurek Becker, Erich Loest, Bettina Wegner, Klaus Schlesinger, Thomas Brasch u. v. m. Manche hatten ein Visum in der Tasche, das ein Pendeln zwischen Ost und West ermöglichte, einige durften nicht zurück, und wieder andere wollten mit der DDR nichts mehr zu tun haben. Die Illusion eines Bündnisses zwischen ‚Arbeiterklasse' und (literarischer) Intelligenz war endgültig zerbrochen.

Es fehlte freilich nicht an Versuchen, diese Illusion wieder aufzurichten. Die SED ‚bat' zahlreiche Schriftsteller und Künstler um öffentliche Statements zum ‚Fall Biermann', und Hunderte davon wurden im *Neuen Deutschland* abgedruckt. Bei der Lektüre dieser endlosen Ergebenheitsadressen kann einem – jenseits von wissenschaftlicher Objektivität – übel werden. Die Tatsache, daß die meisten Texte nicht von kritischen Intellektuellen stammten, mindert den Ekel nur unwesentlich. Der künftige Vorsitzende des Schriftstellerverbandes, Hermann Kant, bot die kaltschnäuzige Schnoddrigkeit, die seit eh und je für ihn typisch war: Er habe Biermann „ganz gut ausgehalten", sei aber besorgt, weil sich seine Kollegen „kapitalistischer Übermittlungs- und Verstärkeranlagen" bedienten. (35) Dabei verschwieg er, daß die „Biermann-Petition" kaum der französischen Nachrichtenagentur AFP übergeben worden wäre, wenn es in der DDR selbst eine funktionierende Öffentlichkeit gegeben hätte. (Vgl. dazu Jakobs, 1981, 86.) Der Regisseur und Schauspieler Albert Hetterle, der später die Paraderolle des kritischen Altkommunisten Wilhelm in Volker Brauns *Übergangsgesellschaft* übernehmen sollte, kritisierte Biermanns angeblich „antistaatsbürgerliches Verhalten", ohne diesen merkwürdigen Begriff zu erklären. (36) Ausgerechnet die Kollegen vom Kabarett „Die Distel", wo Biermann früher auftreten durfte, sahen ihn nun im „Heer der Verleumder". (50) Ein Gustav Schmahl entblödete sich nicht, von den Jahren zu reden, „in denen er (=Biermann) schwieg" (54), aber auch das reichte nicht im entferntesten an die Diffamierung heran, die der Schreib-Apparatschik Harry Thürk losließ: Die Ausbürgerung betreffe „nicht etwa einen Schriftsteller oder gar Dichter", sondern „einen ferngelenkten Politscharlatan, einen antisozialistischen ‚Blödelotto', der sich intellektuell gebärdet, auch rot, weil das so schön täuscht". (50) Altdeutsche Unterwürfigkeit kennzeichnete die Aussage des Kammersängers Martin Ritzmann, der sich als Künstler beschrieb, „der seinen *Staat* liebte". (51, Hervorhebung von mir.) Daß DDR-Intellektuelle aus Opportunismus mitmachten oder sich wegen mangelnder Zivilcourage mißbrauchen ließen (einige Verfasser, z.B. Anna Seghers oder Ruth Berghaus, flüchteten allerdings ins Unentzifferbare), ist schlimm genug; daß der westdeutsche Liedermacher Franz Josef Degenhardt auch in den Spalten des *Neuen Deutschland* den

Ausgebürgerten belehrte (38), war und bleibt unentschuldbar und markiert einen geistigen Tiefpunkt. Vergleichbar und besonders widerlich war der Entschluß des realsozialistischen Klassizisten Peter Hacks, in der *Weltbühne,* dem Blatt Jacobsohns, von Ossietzkys und Tucholskys also, Biermann auf vermeintlich elegante Weise fertigzumachen. Da ist die Rede von einem „Knabe(n)", der ganz nette kleine Lieder gemacht habe, ehe ihn „ein fehlerhafter Ehrgeiz" dazu betrieben habe, „sich an Heines Philosophie und Villons Weltgefühl zu messen". Fazit: „Er wurde, was er ist: der Eduard Bernstein des Tingeltangel." (131 f.) Das Politikum sollte also dadurch aus der Welt geschafft werden, indem die künstlerische Qualität in Frage gestellt wurde. Ohne den Boykott der Hacksschen Stücke gutzuheißen, der damals im Westen erwogen und teilweise auch durchgesetzt wurde, muß man hoffen, daß der böswillige Verriß aus der *Weltbühne* nicht in Vergessenheit gerät, wenn es in den kommenden Jahren darum geht, Hacks' Platz auf dem Parnaß zu bestimmen.

Im Osten war man davon überzeugt, daß das gefürchtete Eindringen des Eurokommunismus durch das Abbrechen der „Speerspitze" Biermann ein für allemal erledigt war. Trotz der Veröffentlichung des mysteriösen „Manifests" eines „Bundes Demokratischer Kommunisten" im *Spiegel* (Nr. 1, 1978) und nach der Inhaftierung bzw. Abschiebung von Rudolf Bahro schien diese Beurteilung auch zuzutreffen. Im Westen nahm man die Gelegenheit wahr, die Kritik an der Ausbürgerung in eine Verdammung nicht nur der Praxis, sondern auch der Idee des Sozialismus umzufunktionieren. Eine Zielscheibe war die westdeutsche DKP, die die Ausbürgerung mit vorbereitete und nachträglich begrüßte (z. B. durch den Abdruck von Hetzartikeln aus dem Parteiorgan *Unsere Zeit* in den Ausgaben vom 16. und 17. 11. des *Neuen Deutschland*), wodurch sie ihre Glaubwürdigkeit im Kampf gegen die Berufsverbote in der BRD verlor. Ein Leckerbissen für die konservativen Medien war die Art, wie die *Bildzeitung* den DKP-Journalisten bei ihrer Kampagne gegen Biermann als Informationsquelle diente. Schließlich sollte auch in Erinnerung bleiben, wie (damals) DKP-nahe Schriftsteller wie Franz Xaver Kroetz, Peter Schütt oder Dieter Süverkrüp der Ausbürgerung zustimmten.

Die westliche Reaktion auf Biermanns Ankunft im Westen und seine ersten Worte und Taten dort ist ausführlich und wiederholt dokumentiert worden. Dasselbe gilt für die Debatte um eine „zweite deutsche Exilliteratur" (Fritz Raddatz) sowie für die Spannungen zwischen den ehemaligen DDR-Autoren und ihren neuen bundesdeutschen Kollegen. Im Rahmen der vorliegenden Arbeit wäre es aber lehrreich, die Stellungnahmen von einigen bekannten Figuren aus dem Jahre 1976 zu analysieren, nicht zuletzt deshalb, weil diese Stellungnahmen Aussagen über den künftigen Weg des Künstlers und Bundesbürgers Biermann enthalten. Die Figuren, die ausgewählt wurden, repräsentieren – mit einigen Abstrichen – das ganze politische Spektrum der Bundesrepublik, wie es sich vor anderthalb Jahrzehnten darstellte. (Auf die Ansichten der *Bild*- Schreiber und ihre „Leistung" in Sachen Biermann wird hier verzichtet. Desgleichen konnten Feuilletonbeiträge aus der *tageszeitung* auch nicht berücksichtigt werden, weil die *taz*, die ihren Lesern regelmäßig Biermann-Texte und -Interviews anbietet, damals noch gar nicht existierte.)

Der *Welt*- Kolumnist Günter Zehm, der, wie oben erwähnt, Ende der 50er Jahre von Ost nach West gegangen war, hatte mit dem Ausgebürgerten überhaupt kein Mitleid – im Gegenteil: Die Position des Sängers in Ost-Berlin sei „vergleichsweise komfortabel" gewesen. Zehm, wahrhaftig kein Apologet des Sozialismus, manövrierte sich mit dieser Feststellung in eine merkwürdige Lage: Er erschien, sicher ungewollt, als jemand, der die SED-Pressionen gegen den Sänger als bloße Bagatellen betrachtete. Biermann stehe vor der Alternative, entweder „im unverbindlich-linken Getriebe des westdeutschen Kulturbetriebs" zu versacken oder eine „Generalrevision seines ideellen und poetischen Inventars" vorzunehmen, denn nur so könne er „das Lied des anständigen, humanen Zusammenlebens" anstimmen. (27) In politischer Hinsicht sind Zehms Worte so allgemein wie nichtssagend, und er deutet nicht an, wie ein „humaner" Biermann zu singen hätte. Anders als Zehm fühlte sich Hans Habe in seiner *Welt*- Kolumne „Der Wolf im Schafspelz" gar nicht bemüßigt, Biermann künstlerische Ratschläge zu erteilen, denn das hätte aus seiner Sicht keinen Sinn: Dieser Wolf sei „kein Sänger, sondern ein Propagandist". Es sei schamlos, wenn die „linke Feuilleton-Lobby" ihn mit Heine, Villon oder Tucholsky vergleiche, denn er sei „nichts anderes" als „ein Entertainer wie Mey oder ein Kabarettist wie Hildebrandt". Diese ästhetische Abqualifizierung erinnert nicht von ungefähr an das Urteil des Politbüros bzw. seiner Zuarbeiter, mit dem wichtigen Unterschied, daß Habe dem „Propagandisten" unterstellt, einerseits einen „koketten und kabarettistischen ..., artistischen und anarchistischen ..., intellektuellen und intelligenzfeindlichen Kommunismus" zu besingen, andererseits aber genau „den Bolschewismus Moskauer oder Pankower Prägung" zu fördern. (45) Vielleicht hätte Biermann weiterhin Bürger der DDR bleiben dürfen, wenn Habe bereits Anfang November eine Kopie seiner Kolumne der ostdeutschen Nachrichtenagentur ADN übergeben hätte!

Viel differenzierter als Zehm und Habe ging Marcel Reich-Ranicki in seinen drei *FAZ*-Artikeln vor. Zunächst wiederholte er fast wortwörtlich die ästhetische und politische Einschätzung aus dem Jahr 1965 (vgl. Kap. II): Zum einen stellte er Biermann als eine Art Volkstribun dar (die „bisweilen simplen, doch meist sehr eingängigen" Verse würden „die Gefühle von Millionen auf suggestive Weise" artikulieren), und zum anderen erklärte er, die SED betrachte „vor allem die Zweifler in den eigenen Reihen" als eine Gefahr. Die Ausbürgerung nannte er eine „hinterlistige und zugleich gewaltsame Vertreibung", die nichts weniger als „eine geistige Bankrotterklärung" der DDR sei. Politisch sei Biermann zwar ein „Feind" der Bundesrepublik, aber einer, „vor dem wir Respekt haben". (20 f.) Respektiert wird der Künstler und Streiter für künstlerische Freiheit, dessen politische „Illusionen" seiner kulturellen Bedeutung keinen Abtrag tun könnten. Reich-Ranicki tritt hier als Verfechter einer liberalen Öffentlichkeit als Teil einer „offenen Gesellschaft" (Popper) auf. (Auf seine Angriffe im Druck und auf dem Bildschirm gegen Christa Wolf, die nicht zu dieser Rolle passen, kann in diesem Rahmen nicht eingegangen werden.) Auf derselben Linie lagen seine Bemerkungen zur „Biermann-Petition". Obwohl er für die Loyalität mancher Unterzeichner der Partei gegenüber nichts übrig hatte, begrüßte er die Aktion im Namen der Kultur: „Hier geht es um die Literatur: Die in dem offenen Brief Biermann verteidigen, verteidigen zugleich sich selber." (32) Als schließlich Ende Dezember klar wurde, daß die SED nicht zu einem Rundumschlag gegen alle aufsässigen Autoren ausholen würde, beteuerte er: „Das läßt uns hoffen – für diese Schriftsteller und für die Literatur." (142) Was Biermann selbst betrifft, so meinte er, die „Attraktivität" des Sängers werde im Westen „eher schrumpfen", was das Politbüro freuen werde. Er bestätigte also, daß die Literatur in der von ihm gepriesenen liberalen Öffentlichkeit im Kontrast zur Lage in ‚illiberalen' Gesellschaften mehr eine untergeordnete Rolle spielte.

In seinem *Zeit*-Artikel sah der Linksliberale Dieter E. Zimmer die Ausbürgerung als eine fatale Fortsetzung der Praktiken der Nazis, die Heinrich Mann, Ernst Toller und vielen anderen die Staatsbürgerschaft aberkannten (er fügte hinzu, daß das Grundgesetz der BRD diesen Schritt nicht zuläßt). Besonders schlimm fand Zimmer die Maßnahme im Falle Biermann, weil dieser „ein sozialistischer Patriot", ja sogar „einer der letzten Gesamtdeutschen" sei. Zimmer konnte sich aber nicht vorstellen, daß die Ausbürgerung rückgängig gemacht werden würde, und deshalb legte er Biermann die Notwendigkeit des Neubeginns nahe: „All die Gedichte und Lieder über die DDR, für die DDR: eine Sache der Vergangenheit. ... Noch zwei, drei Lieder über den widersinnigen Zustand seines Exils: dann muß Biermann von vorn anfangen." (85) Dieser Kritiker meinte es sicher gut mit dem ‚Exilanten' (er bewunderte z. B. seinen „Reichtum an Registern, der seinesgleichen sucht"), aber die Dichotomie, die er hier konstruierte – Ost-Biermann/West-Biermann –, ließ außer acht, daß dieser Schriftsteller einer ist, der *ständig* mit der Geschichte lebt. Das Schreiben ist für Biermann bis zu einem gewissen Grad immer eine Trauerarbeit, bei der die schmerzlichen Erfahrungen sowohl früherer Generationen als auch der eigenen zu dichterischen Gebilden werden. Eigentlich hat er bis heute (1991) nicht endgültig von der DDR Abschied genommen (anders als etwa Sarah Kirsch, Günter Kunert oder Reiner Kunze); es ist vielmehr so, daß sein Werk neue Dimensionen aufweist, während die alten weitergepflegt werden. 1976 prophezeite Zimmer übrigens auch, daß „Deutschlands politischster Schriftsteller" vor der „großen Kraftprobe seines Lebens" stünde, und zwar in dem Sinn, daß Biermann, der so lange Isolierte, „sich nun ins Getümmel begeben" müßte. (ebd.) Hier hatte Zimmer in der Tat recht, aber man kann jetzt sagen, daß der Liedermacher – bei allen ‚Einmischungen' in den letzten anderthalb Jahrzehnten – der Kunst doch den Vorrang gegeben hat. Daß diese Entwicklung nicht wenige Linke enttäuscht hat – Günther Nenning sprach z. B. 1977 noch von einer neuen „Leitfigur", die „viel besser" als Dutschke und Cohn-Bendit sei (161) –, kann man heute noch in Gesprächen und Diskussionen hören.

Abschließend soll auf zwei unabhängige linke Schriftsteller hingewiesen werden, die sich mit Biermann solidarisierten. Der eine, Peter Weiss, hatte seit der Flucht vor den Nazis keinen festen Wohnsitz in einem deutschen Staat und verfolgte die Ereignisse von Stockholm aus. Der andere, Gerhard Zwerenz, mußte, wie schon gesagt, Ende der 50er Jahre aus der DDR fliehen. Weiss wandte sich, wie im Dezember 1965, an die „Beschlußfasser", in der Hoffnung, daß sie ihre Entscheidung zurücknehmen würden. Er verglich Biermann mit den Franzosen Villon und Rimbaud und dem Schweden Carl Michael Bellman, um zu zeigen, daß gültige Werke aus „Emotionen", „Spontaneität", „Aggressivität" und „Frechheit" erwachsen könnten. Als einer der „Freunde der DDR" die an einem „wertvollen Arbeitsaustausch mit diesem Land" festhalten wollten, appellierte er, statt zu fordern oder gar zu verdammen. Die – nicht nur in der Retrospektive – naive Behauptung, die DDR sei „stark genug", um Biermann zu „dulden" (31), erinnert fatal an die Formulierung Hermann Kants sowie an das Wort Habes, die BRD könne ihn „ertragen" (45). Diese Art von Solidarität bewirkte im Osten nichts, und im Westen richtete sie eher Schaden an. Zwerenz packte die Sache ganz anders an. Vor 1976 hatte er Biermann oft gelobt, und der Wunsch des Sängers, in die DDR zurückzukehren, fand er auch „menschlich verständlich". Das hielt ihn aber nicht davon ab, die Bemerkung zu machen, daß dieser Wunsch „nicht der Absurdität" entbehre, da viele DDR-Bürger gern das „Privileg" einer Ausbürgerung hätten. Zwerenz forderte Biermann dazu auf, die „Illusion" aufzugeben, vom real existierenden Sozialismus sei „mehr als seine jetzige Daseinsweise" zu erwarten. (155) Dem stimmte Biermann erst später zu. Zwerenz' Beurteilung der Lage im Osten erwies sich als völlig richtig, aber seine Hoffnung auf einen starken Eurokommunismus (für den er Biermann als Mitstreiter gewinnen wollte) verflüchtigte sich rasch. Seine eigene langjährige Suche nach einem geeigneten politischen und literarischen Standort in der BRD nahm Biermanns erst beginnende West-Sondierung im großen ganzen vorweg.

Beim Kölner Konzert – dessen Fernsehübertragung auf Einspruch der CDU in die späten Abendstunden verschoben werden mußte – lieferte Biermann keinen Vorwand für die Ausbürgerung, es sei denn, man verwechselte Solidarität mit Kritiklosigkeit. (Im folgenden sind alle Biermann-Äußerungen der Aufnahme auf der Doppelplatte *Das geht sein' sozialistischen Gang* entnommen.) Der Sänger, dem es an der Routine eines „alten Konzert-Gangsters" fehlte, trat sowohl für die Idee des Sozialismus („die einzige Hoffnung, die die Menschheit hat") als auch für die DDR ein. Er grenzte sich von einer Verherrlichung des 17. Juni ab („er war schon ein demokratischer Arbeiteraufstand und noch eine faschistische Erhebung"), behauptete etwas blauäugig, es gäbe keine Faschisten mehr in der DDR („die sind längst weg") und lobte die „soziale Sicherheit" und „Stabilität" im real existierenden Sozialismus („für das arbeitende Volk eine sehr kostbare Sache"). Im Wortgefecht mit (maoistischen) Zuhörern verteidigte er den „Genossen Honecker" gegen diejenigen, die ihn „niedermachen" wollten, und als eine Frau meinte, die DDR sei „ein faschistischer Staat", erwiderte er, das sei in seinen Augen „ein reaktionärer Unsinn". Kritik äußerte er vor allem in den Liedern, z. B. in der „Legende vom sozialistischen Gang", der „Ballade vom Mann", dem „Portrait eines Monopolbürokraten" oder „Noch". Das alte utopische Lied „So soll es sein" erhielt einige neue Strophen, in denen der BRD eine eurokommunistische KP und der DDR „Rosas rote Demokratie" empfohlen wurde. In politischer Hinsicht ließe sich der ganze Abend so charakterisieren, daß sich Biermann für den *zweiten* Schritt der DDR-Revolution – d. h. die ‚sozialistische Demokratie' – einsetzte, während er im Hinblick auf die BRD den *ersten* als „Zukunftsmusik" bezeichnete. Erst nach der Ausbürgerung, als ihn die Wut über diese Maßnahme erfüllte, polemisierte er gegen die mächtigen Genossen und ihr verfehltes Lebenswerk.

IV. Einmischung in „fremde" Angelegenheiten: Erste Geh- und Schreibversuche im Westen

Von rechts winkt noch müde das große Geld
Und links winkt das Ghetto mir.

Bei Hoffmann und Campe erschien 1972 der Gedichtband *Berichte aus dem sozialistischen Lager* des russischen Schriftstellers und Übersetzers Julij Daniel. Diese Verse, die von Wolf Biermann ins Deutsche übertragen wurden, schildern das Leben im Gulag: 1966 waren Daniel und sein Kollege Andrej Sinjawski wegen „subversiver Agitation und Propaganda" verurteilt worden, und sie kamen in ein Arbeitslager in Mordwinien. Indem sich Biermann mit Daniels Gedichten beschäftigte, lernte er eine Welt kennen, die er selbst nie erleben mußte: Haft, Lager und Verbannung in fast absoluter Isolation. In „Dichterruhm" heißt es dazu: „Auch der Dichter, ihm bleibt keine Chance / Bei der Treibjagd, bei der Menschenhetze / Hunde finden seine Spur und gehen ihm / An die Gurgel mit dem Reißzahn der Gesetze". (*NL 1,* 369) Es kennzeichnet die Sonderstellung Biermanns sowie die besondere Lage der DDR, daß die Alpträume des Ostberliners nicht um ein solches Schicksal kreisen, sondern um eine eventuelle Ausbürgerung. Bereits im *Spiegel-*Gespräch 1973 sagte er über eine unfreiwillige Übersiedlung in die Bundesrepublik: „Das ist meine einzige Angst. Dann wäre ich erledigt. Ich glaube, dann würde ich aufhören, überhaupt zu schreiben." Ende Oktober 1976 tauchte diese Vorstellung im Gespräch mit Günter Wallraff wieder auf. (I&G 1976 b, 96 f.) Biermann hat, insbesondere was die Zukunft der DDR bzw. der SED betrifft, vieles (nicht: alles) vorausgesehen, aber in bezug auf sich selbst irrte er gewaltig, wie wir inzwischen wissen. Dieser Irrtum ist vielleicht darauf zurückzuführen, daß er erst durch die Ausbürgerung, d. h. durch die gewaltsame Entfernung vom (allzu) vertrauten politischen Umfeld und Wirkungskreis, dazu gezwungen wurde, den Stellenwert der *künstlerischen* Arbeit in seinem Leben näher zu bestimmen. Ein erstes Ergebnis dieser Überlegungen wurde 1978 gedruckt: „Ich bin ja nicht einer, der Lieder absondern muß wie andere Leute Lyrik. Dachte ich." (*PI*, S. 107).

Wolf Biermanns erstes Jahr im Westen war, persönlich und politisch gesehen, ein wahres Wechselbad. Als Leserköder wurde sein Privatleben von der Boulevard-Presse ins Scheinwerferlicht gezerrt (auch *Der Spiegel* und *Die Zeit* druckten diesbezüglich kleine diskrete Meldungen), und als seine Hamburger Anschrift veröffentlicht wurde, war er sogar Beschimpfungen und Morddrohungen ausgesetzt. Bei Konzerten in der Bundesrepublik mußte er sich die Frage gefallen lassen, wieso er als Kommunist so viel Eintritt kassiere, und konservative Volksvertreter empörten sich, als es hieß, der Ausgebürgerte würde Gelder aus der Staatskasse erhalten: Von seiner Geburtsstadt Hamburg sollte er ein für „international anerkannte Künstler" bestimmtes Stipendium bekommen (er lehnte ab), und während der Debatte im Senat rief ein CDU-Politiker, dann könne man ja auch Nazis einladen (vgl. *FR*, 26. 11. 1976); im baden-württembergischen Landtag kam es nach einem Konzert im – subventionierten – Stuttgarter Schauspielhaus zu einer Diskussion, bei der gefragt wurde, welche „kulturelle Leistung" von dem Auftritt eines „Gegner(s) der parlamentarisch-freiheitlichen Demokratie" erbracht werde (vgl. *SZ*, 23. 11. 1977). In Köln hatte Biermann noch für die Jugend der IG Metall singen dürfen, aber am Tag der Arbeit war der DGB an seiner Mitwirkung nicht interessiert (am 1. Mai war er dann in Rotterdam). Im Ausland schien er sich zunächst sowieso freier zu fühlen: Er konzertierte nicht nur in den Niederlanden, sondern auch in Dänemark, Italien und der Schweiz, und in Spanien wurde er von Zehntausenden gefeiert. In Venedig nahm er an der „Biennale der Abweichung" teil, wo er für den Eurokommunismus plädierte und seine bisherigen Kontrahenten in der DDR „diese reaktionären Verbrecher, diese verkommenen ehemaligen Revolutionäre" nannte (vgl. *FAZ*, 23. 11. 1977). In den westdeutschen Medien begann das Interesse an Biermann allmählich nachzulassen, und der Neu-Bundesbürger (nach langem Zögern nahm er den grünen Reisepaß im Herbst 1977 an), der Herumreiserei und -reicherei müde, wandte sich wieder dem Schreiben zu.

Der erste Band, der nach der Ausbürgerung erschien, war *Nachlaß 1*, in dem alle von 1965 bis 1972 veröffentlichten Werke (außer dem „Märchen vom kleinen Herrn Moritz") gesammelt wurden. Mancher fühlte sich angesichts dieser Publikation wohl an Robert Musils *Nachlaß zu Lebzeiten* erinnert, in dessen Vorbemerkung der Hinweis zu finden ist, in der Regel hätten die Nachlässe „eine verdächtige Ähnlichkeit mit Ausverkäufen wegen Auflösung des Geschäfts". Mit dem dicken Sammelband wollte Biermann anscheinend einen Schlußstrich unter die DDR-Jahre ziehen, aber das Format eignete sich nicht dazu: Es wirkte irgendwie enthistorisierend und homogenisierend und ließ die Konturen der gerade zu Ende gegangenen Periode im Einheits-Look verschwinden. *Nachlaß 1* enthielt jedoch auch einen aktuellen Text, nämlich einen langen Brief an Robert Havemann, der die Geburt des Prosaisten Biermann ankündigte. Sein Versuch, mit der im Vergleich zur Lyrik eher amorphen Gattung zurechtzukommen, dauert bis heute an und verrät recht viel über die Gaben und Grenzen dieses Schriftstellers. Der eben genannte Brief ist keine bedeutende Schrift, aber einige Punkte daraus verdienen es, festgehalten zu werden. Der Neid auf die italienischen Sänger-Kollegen, die – so kommt es ihm zumindest vor – in einer Massenbewegung eingebettet sind, läßt ihn „den chronischen Mangel an Öffentlichkeit" (10) in den eigenen Liedern beklagen. Von Havemanns „verfluchtem Optimismus" (20) ist die Rede, und zwar so, daß man den Eindruck hat, als wäre das eigene Bekenntnis zum Positiven mehr ein Akt politischer Vernunft als ein Ausdruck natürlicher Veranlagung. (Das erinnert einen an Antonio Gramsci, den Biermann diesbezüglich oft zitiert.) Schließlich gibt der Briefschreiber zu, die Vielfalt der ungewohnten Reize überwältige ihn: „... ich kenn' eben die Welt nicht ..." (16) Dieses Geständnis ist nichts Nebensächliches, denn es belegt, wie sehr Biermann nun umlernen mußte. Die legendäre Selbstsicherheit und Schlagfertigkeit des

Verbotenen, die Gesprächspartner aus dem Westen immer wieder verblüfft hatten, mußten nach der „Heimatvertreibung" (Böll) von Grund auf rekonstruiert werden. Es versteht sich von selbst, daß das nicht über Nacht gelingen konnte.

Die letzten in der DDR entstandenen Gedichte und Lieder erschienen im Band *Preußischer Ikarus* (1978), zusammen mit den ersten West-Schöpfungen – mit einem leeren Blatt dazwischen als Mauersymbol bzw. unübersehbare Trennungslinie. Die meisten Verse aus der Chausseestraße waren bereits auf den Schallplatten *Liebeslieder, Es gibt ein Leben vor dem Tod* (vgl. oben) und *Es geht sein' sozialistischen Gang* vorgestellt worden (nicht nur akustisch, sondern auch gedruckt, und zwar im jeweils mitgelieferten Textblatt). Die Restlichen sind sehr unterschiedlich, und sie wären ohne die unerwartete Zäsur wohl kaum unter der Überschrift „Und als wir ans Ufer kamen" publiziert worden. „Handschmeichler" z.B., ein Gedicht im Stil des späten Brecht, erörtert das Wesen der poetischen Schönheit: „... die Unvollkommenheiten! sie vollenden / die Vollkommenheit der Form, so auch / im Gedicht" (100; auf den folgenden Zusatz „so auch / in diesem" hätte verzichtet werden können). Daneben wirkt „Ich troll nach Haus (Harry sein Blues)" wie eine ulkige Fingerübung für Eingeweihte, die (leider) der Vollständigkeit halber aufgenommen wurde. Die schöne „Ballade von der alten Stadt Lassan" eröffnet die Reihe der ‚Seestücke' (vgl. z.B. „Großer Segeltörn" oder „Seestück, hochpolitisch"), während die „Ballade vom Aale räuchern" das alte Motiv der Gaumenfreunde mit dem bitteren Schicksal des inhaftierten Schriftstellers Siegmar Faust verquickt. Das gegen die Sektiererei gerichtete „Lied vom Roten Stein der Weisen" vermittelt zweifellos wichtige Einsichten (nicht nur für Linke), aber es ist eigentlich weniger ein Gedicht als eine Ermahnung in Strophenform. Dagegen ist das Titelstück dieser Abteilung ein typisches – und gelungenes – Beispiel für die Methode des Lyrikers Biermann: Ausgehend von reiner Beobachtung – der Dichter sitzt (mit der Geliebten?) im Kahn und sieht verschiedene Spiegelbilder im Wasser – kommt es zu einer schmerzlichen Selbstbefragung im zeitgeschichtlichen Kontext („Was wird bloß aus un-

sern Träumen / In diesem zerrissenen Land ..." – 71). In diesem
Fall arbeitet die Musik nicht gegen den Text (vgl. die Aufnahme
auf der Platte zum Kölner Konzert): Sie vertieft die Trauer und
Ratlosigkeit noch mehr. Ein solches Lied, das das Besondere ins
Allgemeine erhebt, wird seinen Reiz bestimmt auch künftig bei-
behalten.

Zwei Gedichte aus diesem letzten deutsch-demokratischen
Sammelsurium verdienen besondere Aufmerksamkeit. Das eine,
„Rotgefärbter Tatsachenbericht vom wahren Leben und Tod
des Jesus Christus", soll laut Biermann „eine plebejische Lesart
des Evangeliums" sein (94). In diesem Langgedicht in neun Teilen und in reimlosen Versen mit unregelmäßigen Rhythmen
wird der ‚Fall Jesus' in der Sprache der modernen Politik nacherzählt und aktualisiert (das Verfahren erinnert an die Art und
Weise, wie Bernt Engelmann mittels Vergleichen und Analogien
die deutsche Geschichte darstellt). Jesus ist hier eine Neuausgabe von Brechts „Glücksgott" – als „Hetzer" organisiert er „Sit-
inns und Go-inns" (sic!) –, die Apostel sind „Berufsrevolutionä-
re" und Judas ist ein „Agent des herodischen Geheimdienstes".
Nicht alle Anspielungen können in diesem Rahmen aufgezählt
werden, aber dem sorgfältigen Leser kann nicht entgehen, daß
dieser Jesus viele Ähnlichkeiten mit dem Verfasser des Gedichts
aufweist. Ehe man ihm deswegen Größenwahn vorwirft, sollte
man sich vergegenwärtigen, welches Schicksal Biermanns
Schmerzensmann erleiden muß: Statt in den Himmel zurückzukehren, muß er sein Kreuz durchs Land schleppen, bis die ganze
Affäre der Vergessenheit anheimfällt: „Der alte Sonderling aber
ging unbemerkt unter / Im gewaltigen Alltag. ..." (97) Das Gedicht kann insgesamt als eine Horror-Vision des Dichters interpretiert werden: Er bleibt in seinem Land, aber als Verbotener,
bis er eines Tages merkt, daß er ein Unbekannter an der Spree
geworden ist („Ein lebender Märtyrer, der ist sehr tot" – 96).
Angesichts dieser Vision kann man nicht umhin, sich die – merkwürdig tabuisierte – Frage zu stellen, ob Biermann trotz aller ge-
genteiligen Beteuerungen in Erwägung zog, die DDR zu verlassen, statt „an das Kreuz ... der grauen Jahre" (97) geschlagen zu
werden. Auf jeden Fall ist auch die berühmt gewordene „Ballade

vom preußischen Ikarus" von einer gewissen Ambivalenz gekennzeichnet. Es hat sich eingebürgert, einige Verse aus dem dritten Teil hervorzuheben: „Ich halt mich fest hier, bis mich kalt / Dieser verhaßte Vogel krallt / und zerrt mich übern Rand" (103). Hier sind es der feste Wille und der Trotz des Daedalus-Sohnes, die betont werden. Im Mittelteil jedoch wird ein schreckliches Bild von gesellschaftlicher Stagnation und langsamem Tod durch Psycho-Folter gemalt. Der allzumenschliche Wunsch, aus diesem fatalen Stillstand auszubrechen, wäre mehr als verständlich, auch wenn er das Zoon politikon Biermann (wie wir es zu sehen gewohnt sind) in ein schiefes Licht rückte.

Zehn Jahre nach der Ausbürgerung blickte Biermann im Gespräch mit Günter Gaus auf die Zeit zurück, als er begann, im Westen die schriftstellerische Arbeit unter ganz neuen Bedingungen weiterzuführen: „Ich habe von Anfang an versucht, mich hier einzumischen. Mich nützlich zu machen. Das war am Anfang schwierig, weil ich die Gesellschaft nicht genügend kannte. … Als ich Null war hier im Westen …, ich glaube, da wandten die Musen sich ein bißchen ab von mir. Die mochten mich nicht mehr so, weil sie spürten, daß ich über etwas schreibe, Gedichte und Lieder, wovon ich nur das Wesentliche wußte." (I&G 1986 a, 562.) Auch wenn man den ironischen Unterton in diesen Worten mitdenkt, ist es offensichtlich, daß hier kein dichtender Politiker spricht, sondern ein politischer Künstler. Niemand kann leugnen, daß sich Biermann seit 1976 „einmischt", u. a. dadurch, daß er da auftaucht, wo sich Konflikte zuspitzen (z. B. in Brokdorf und Mutlangen oder bei Faschistentreffen), aber die eigentlichen Stätten dieser Einmischung sind das Arbeitszimmer, das Studio und der Konzertsaal. In der DDR pflegte er zu sagen, viele würden seine Lieder kennen, wenige aber sein Gesicht. In der BRD ist es eher umgekehrt: Er ist keine geheimnisumwitterte Legende mehr, sondern einer der vielen, die sich äußern. Als jemand, der immer wieder öffentlich auftritt bzw. Schallplatten produziert, kann er zwar damit rechnen, daß seine Stellungnahmen an den Mann/die Frau kommen, aber er kann genausowenig wie seine Schreib-Kollegen belegen, inwiefern die Verbreitung eine (politische) Wirkung nach sich zöge. (Vgl. das Streitgespräch mit Günter Kunert im Jahr 1980.) Das Neuartige an seiner Lage bestand damals (und besteht immer noch) darin, daß er nicht mehr mit gewaltsamer Repression, sondern – zumindest nach den Kontroversen in den ersten Monaten – mit „repressiver Toleranz" (Marcuse) fertig werden muß. An die „Herrn hoch da droben" ging einst die Aufforderung „So küßt mich doch, ihr Hunde"! (*FmG*, 49) Westlich abgewandelt müßte es nun heißen: „So nehmt mich doch endlich mal wahr, ihr Hunde!"

Im Klappentext zum *Preußischen Ikarus* teilt der Verlag dem Leser mit, der Band enthalte „Biermanns ersten größeren Prosatext". Nicht von ungefähr wurde diese vage Bezeichnung verwendet, denn dieser „Prosatext" ist in der Tat schwer zu kategorisieren: Er ist weder eine Erzählung noch ein Essay. Der Titel, nämlich „Vorworte", ist wegen der Mehrzahl auch ungewöhnlich, und die vielen Gedankensprünge lassen einen an Tagebucheintragungen, Bekenntnisse, Impressionen und Causerien denken. Der Stil erinnert also sehr an die kunstvoll improvisierten Abschweifungen, die ein fester Bestandteil jedes Biermann-Konzerts sind. Im vierten von insgesamt 23 „Vorworten" gibt der Autor „Ängste vorm Prosaschreiben" zu, die er dann auch beschreibt: „Das ist schwerer als mit Liedern über die Rampe kommen. Von der Bühne aus ist es mir leichter, da sind vielleicht ein paar tausend Menschen. Aber dieses dunkle Stück Menschheit um den Schreibtisch!" (108) Als Kontrast dazu fällt einem der gestandene Romancier Martin Walser ein, der die Fähigkeit, ein gutes Gedicht zu schreiben, maßlos bestaunt.

Die „Vorworte" schrieb Biermann, nachdem er „knapp zwei Westjahre abgerissen hatte (ebd.). So würde ein Häftling reden, der auf die Freilassung wartet. Hier liegt jedoch keine Verteufelung des Westens vor, sondern ein Bericht in der Art, wie sie Forschungsreisende in der Fremde verfassen. In diesem Fall ist die Fremde allerdings vertrauter, als sich der Reisende vorm Lichten des Ankers eingestehen wollte. Obwohl Biermann nicht vorhatte, „Ansichtskarte(n) aus dem Westen" (118) zu schicken, ist es letzten Endes so gekommen: Er liefert sehr viele Momentaufnahmen, die z. T. faszinierend sind, sich aber nicht zu einem

Ganzen fügen lassen. So stehen Mutmaßungen über die entscheidende ‚Ausbürgerungssitzung' des Politbüros neben Bemerkungen zur Schleyer-Ermordung, Bilder von spielenden Kindern im neuen Garten („So idyllisch ist das Exil." – 108) sowie von einem Spaziergang an der Elbe neben Überlegungen zur Kernenergie: „Atomkraft ist eine Naturkraft. Und wenn etwas den Menschen bedroht, dann ist es der Mensch." (121; Davon rückte er später ab.) Was die eigene Arbeit betrifft, macht er sich einerseits Gedanken über die – unvermeidliche – Vermarktung der Lieder (ohne den Traum eines „Gemeinwesens" aufzugeben, „in dem auch die Lieder sich nicht als Waren vermummen müssen" – 113), andererseits stellt er klar, daß er nicht vorhabe, ein singender Volkstribun zu werden: „... politische Massenlieder als Ersatz für politisierte Massen sind ja auch nur eine ästhetische Kapriole." (120) Er sagt voraus, daß eine Rückkehr in die DDR erst nach dem Verschwinden der Mauer („Menschenfalle" sagt er dazu – 125) möglich wäre, und er prophezeit – so, daß es dem heutigen Leser kalt über den Rücken laufen muß – was aus den „Halbgötter(n)" der SED werden würde: „... sie werden auch in Zukunft von Sieg zu Sieg wie in Fallen stürzen, die Geschichte ist gegen sie, und die Menschen sowieso." (119) Solche Worte gehörten zum Standardvokabular im konservativen Lager, aber daß sie einem linken Kapitalismuskritiker entfuhren, war damals nicht gerade üblich.

Biermann war nun gezwungenermaßen ein „Linker in der BRD". (125) Der zweite Teil des *Preußischen Ikarus,* den die „Vorworte" einleiteten, gab die erste Probe davon, wie er sich als linker *Schriftsteller* in der BRD artikulieren würde. Eigentlich ist es untertrieben, von einer Probe zu reden, denn hier bemüht er sich intensiv um eine linke Standortbestimmung, und diese Bemühung ist ungleich schwieriger als früher im Osten. In den meisten Gedichten und Liedern ist der implizierte Gesprächspartner die westdeutsche bzw. westeuropäische Linke, und das wirkt sich natürlich auf die Rezeption aus: Die ‚querelles socialistes', die Ende der 70er Jahre die Gemüter erhitzten, werden mit der Zeit – besonders seit 1989 – immer mehr zum Gegenstand rein antiquarischen Interesses. Wer sich allerdings für den Lebensweg Wolf Biermanns interessiert, der muß sich gerade mit diesen Texten befassen, denn sie verdeutlichen, was er mit dem Wort „Exil" sagen wollte. Es wäre nicht abwegig, die Behauptung aufzustellen, daß es sich bei diesem Begriff weniger um politische und wirtschaftliche Aspekte – obwohl diese auch zur Sprache kommen – als um die (zwischen-) menschliche Dimension handelt. Der Ausgebürgerte wurde aus dem alltäglichen Lebenszusammenhang herausgerissen, was jeden halbwegs sensiblen Menschen hart treffen müßte. Hinzu kam, daß er sich gewissermaßen wieder mit einer Problematik herumschlagen mußte, der er sich durch die Übersiedlung in die DDR entzogen hatte. Gemeint ist die Konfrontation des von der Wiege an politisierten Arbeiterkindes mit der alten und neuen Bourgeoisie. Im Hamburger Gymnasium waren es die konservativen Sprößlinge privilegierter Kreise, mit denen er sich anlegte, und nun traten deren linke Vetter als ungeliebte Bundesgenossen auf.

Wieso ungeliebt? Was wird diesen Leuten vorgeworfen? Wenn man näher hinschaut, wird klar, daß die vielen Angriffe der Abgrenzung dienen, und zwar zwecks Aufrechterhaltung der eigenen Identität (die ja immer eine mehr oder weniger baufällige Konstruktion ist). In dem von Sarkasmus triefenden Gedicht „Wenn die ungezogenen Bürgerkinder" verspottet Biermann Protestler, die „die Arbeiterfaust ballen" und ein „Kampflied schmettern", den „linken Sektenzwist" aber nicht überwinden können. Daß revolutionäre Romantik mehr als peinlich sein kann, ist inzwischen bekannt. Hier kommt jedoch ein persönliches Markenzeichen des Lyrikers vor, welches auch die Grenze zur Peinlichkeit überschreitet: Am Schluß mahnt Oma Meume, „Durch Klugheit wird man dumm!" (163). Dieser Spruch, der auch an deren Stellen eingesetzt wird, soll eine musterhafte proletarische Familiengeschichte als eine Art Bollwerk gegen die im Titel genannten „Bürgerkinder" errichten. Die Tatsache, daß der Lyriker selbst hochgebildet und sehr belesen ist, wird (noch) kaschiert, weil sie das Schaffen von klaren Fronten erschwert. Zum Terminus ‚Proletarier' gehört offensichtlich auch eine Leidensfähigkeit und -erfahrung, die den „Bürgerkindern" abgesprochen wird. Im Lied „Leiden aus zweiter Hand" wird z. B. das Engagement gegen die „Barbarei der Amerikaner" in Vietnam auf die Gewissensbisse der Wohlstandskinder zurückgeführt. Die letzten beiden Strophen dieses Liedes wurden zweifellos von manchen als ein Schlag ins Gesicht empfunden: „Ach an den Leiden aus zweiter Hand / Wie ihr euch daran labt / Ihr schmückt euch mit den Wunden / Die ihr ja gar nicht habt // Helft euch man ersteinmal selber / Und seid euch selber gut / Dann kriegt ihr endlich auch echte / Verzweiflung. / Und echten Mut." (170) Worauf bezieht sich das Wort „echt"? Das wird nicht ausgesprochen, aber man denkt u. a. an die Taten und Leiden von Biermanns Eltern und Großeltern. Und der Enkel von Oma Meume? Schmückt er sich auch mit den Wunden anderer? Ja und nein. Die Anrede „ihr" in den eben zitierten Versen ist nicht frei von Besserwisserei und Überheblichkeit, aber im Mittelteil des Liedes wird „ihr" durch „wir" ersetzt. Solche Ambivalenz prägt auch ein „Linkes Liedchen", in dem Selbsthaß, Traurigkeit und Untätigkeit als Merkmale der West-Linken aufgezählt werden. Gegen Ende taucht zwar der Vers auf „Ich sing auch von mir hier, Mann!" (162), aber gleich darauf betont der Sänger, daß er mit dieser ganzen Szene nichts zu tun hätte, wenn er nicht gegen seinen Willen im Westen leben müßte. Der Eindruck entsteht, als wären die „lustigen Linken" (ebd.) nur jenseits der Mauer anzutreffen. Aus Biermannscher Sicht schließen sich Leiden und Lustigsein nicht aus, solange man sich wehren kann: „Wir gehn ja kaputt an den Schlägen, die / Wir alle nicht ausgeteilt haben!" („Über das Zugrundegehn", 165.) Das ist wohl der springende Punkt. Im Osten wußte der Verbotene genau, gegen wen er anzugehen hatte, und er konnte damit rechnen, daß viele, vielleicht sogar die meisten seiner Mitbürger jeden (verbalen) Schlag beklatscht hätten, wenn das nicht so riskant gewesen wäre. Statt eines solchen (wenn auch heimlichen) Beistands erhält er im Westen nur den Beifall einer zerstrittenen Minderheit, und es fällt ihm – und nicht nur ihm – nicht leicht, Breitseiten gegen einen Gegner abzufeuern, der im Nebel der Verhältnisse schwer zu orten ist.

Die ersten Versuche, diesen Nebel zu durchdringen, waren nicht sehr überzeugend. In „Die Streikposten vor Euro-Kai" sucht der Altonaer Sänger Nestwärme bei streikenden Hafenarbeitern, und es wird wie in alten Zeiten auf die „Bosse" geschimpft. Die Mythisierung des Arbeiters „Kuddel", der den Streikbrecherbus mit einem „Handhaken" lahmlegt (138), zeugt von einer fast archaisch anmutenden Sehnsucht nach Geborgenheit im kämpferischen Kollektiv. Das Bild des fröhlich-frechen Protest-Dorfes im „Gorleben-Lied" (mitsamt einer „Dickmadonne", einem bekannten Biermann-Requisit) ist eher gelungen, zumindest bis zum Schlußteil. In einem „Nachsatz für die Herrn da oben" werden die Risiken der Kernenergie heruntergespielt, indem sie als systembedingte dargestellt werden: „Ihr könnt mit dem Sonnenfeuer / Nichts als Scheiße baun." (174) Hier führt die bei Biermann übliche Personalisierung des Konflikts nicht sehr weit. Die „Büroelefanten" von einst sind einfach durch „Bosse" abgelöst worden. Es ist also nur konsequent, wenn der angehende West-Linke die Terroristen – die er übrigens nicht nur die „Alchimisten der Revolution", sondern auch die „blutigen *Bürgerkinder*" nennt (146; Herv. v. Vf.) – vor allem deshalb kritisiert, weil sie die führenden Persönlichkeiten der Wirtschaft durch ihre Anschläge und Attentate zu sympathisch machen: „Ihr habt ja die Kluft so vernebelt / Die zwischen den Klassen klafft!" (152) Biermann hatte mit den mörderischen Methoden der RAF nie etwas im Sinn, aber sein Feindbild deckte sich in den ersten Jahren nach der Ausbürgerung mit dem ihren. Vielleicht war er deswegen mehr als andere zum Dialog bereit, und man sollte nicht vergessen, daß diese Dialogbereitschaft Mut erforderte zu einer Zeit, als das Schimpfwort „Sympathisant" den Normalbürgern leicht von den Lippen floß.

Die direkt politischen Texte aus den späten 70er Jahren werden wahrscheinlich schnell verblassen, aber nicht alle Werke aus dieser Zeit werden dieses Schicksal teilen. Wo Biermann von sich selbst und den Seinen sprach, gelangen ihm mitunter schöne Bilder. Dem plattdeutschen Kinderlied „Nelli, min Appelsnut" z. B. eignet ein naiver Ton, der gar nicht gekünstelt wirkt. (Darin stehen übrigens zwei Verse über das kleine Mädchen, die auch erklären, warum der ehemalige DDR-Autor Biermann in der Bundesrepublik nicht an die Peripherie des Kulturbetriebs gedrängt worden ist: „Büst all in' Westen boorn / Hest een lütt Neesken vorn" – 133.) Die „Hanseatische Idylle", die keine ist, thematisiert den Neo-Faschismus in der BRD, ohne daß der Angeschriene („juuda verrekke! / biermann! … root fronnt verrekke!" – 131) in Panik gerät. Ein „Kleines Lied eines Spaniers nach Franco" illustriert den elegischen Grundton in Biermanns Schaffen, denn was er hier dichtet, wiederholt er fast wortwörtlich nach der Maueröffnung im November 1989: „Du, diese Freude / – zu viel hat die Freude / mich ja gekostet, // an Traurigkeiten." (177) Das letzte Lied der Sammlung, „Mag sein, daß ich irre", eine eigenwillige Bearbeitung vom jiddischen „Lied des Bundes", gehört zum Schönsten, was Biermann hervorgebracht hat. Die drei Volksliedstrophen sind von der Trauer und der tiefen Enttäuschung über die vielen Niederlagen durchdrungen, aber die Verzweiflung wird verbissen abgewehrt, auch wenn der Dichter nichts erreicht hat „als ein' Anfang von vorn." (226) Ersetzte man das Wort „Commune" durch „Paradies" oder „Gerechtigkeit", das Wort „rot" durch „alt", so würde dieses Lied in jedem Schullesebuch als Beispiel für den schönsten Idealismus des Menschengeschlechts stehen. In seiner eigentlichen Gestalt hätte sich dieser Text jedenfalls ohne weiteres für die Lesebücher in der DDR geeignet, wenn es dort mit rechten Dingen zugegangen wäre. Diese Ironie der Geschichte wird Biermann vielleicht nie verwinden können.

Wie zu erwarten, änderte sich das Verhältnis der westlichen Kritiker zu Biermann und seinem Werk schon bald nach dem Entrüstungssturm, den die Ausbürgerung auslöste. Erschien früher kaum eine Buch- oder Plattenbesprechung ohne die mit der Zeit zur Pflichtübung gewordene Solidarisierung mit dem belagerten ‚Dissidenten', so verlernten viele Rezensenten das Wort Solidarität recht schnell, als es darum ging, die Einmischungen eines dichtenden Kritikers im *eigenen* Land zu würdigen. Im Extremfall beklagte man die „Jauche über unseren Staat" und riet den Lesern, dem „Zugereisten aus dem Arbeiter- und Bauernstaat" einen „kräftigen Tritt in den Hintern" zu geben (so Thomas Engel im *Bayernkurier* vom 20. 10. 1979). Alfred Starkmann, der den Dichter der *Drahtharfe* vor Jahren gefeiert hatte (vgl. oben) konstatierte nun eine „heillose Verwirrung", die eventuell mit einer „Midlife Crisis" zusammenhinge. (*Die Welt*, 3. 2. 1979. Verwirrt war eher der Rezensent, der einen Passus aus den „Vorworten" völlig mißverstand.) Auf subtilere Weise versuchte man, den Autor des *Preußischen Ikarus,* dessen Begabung in den seltensten Fällen in Frage gestellt wurde, für den West-Gebrauch umzumodeln. Ein und derselbe Kritiker konnte „oberflächlich-verworrene Terroristenliedchen" ablehnen und gleichzeitig von „einigen der schönsten Liebesgedichte, die die neuere deutsche Literatur kennt" schwärmen. („Sd" in der *Frankfurter Neuen Presse* vom 7. 12. 1978; so auch Roland Wiegenstein im *Merkur*, H. 2, 1979. Aus einer ganz anderen Perspektive lobte Peter Schneider dieselben Liebeslieder. Vgl. P. S., 1977.) Es blieb Thomas Rothschild vorbehalten, diesen Trend auf den Punkt zu bringen: „Von allen möglichen Seiten gibt man dem Dichter-Sänger den Ratschlag, doch nicht immer so politisch zu sein, wo er doch am besten sei, wenn er ganz einfach nur von sich spreche." (*Basler Zeitung,* 13. 1. 1979.) Der profilierteste Vertreter dieser Richtung war der einflußreiche *FAZ*-Feuilletonchef Marcel Reich-Ranicki, der eine ausführliche Rezension unter dem oft zitierten Titel „Wolf Biermann, der Dichter zwischen den Stühlen" veröffentlichte (*FAZ*, 17. 10. 1978). Statt zu versuchen, den Dichter von seiner Politik zu trennen, ging Reich-Ranicki anders vor: Mit einem Seitenblick auf Bertolt Brecht und Anna Seghers behauptete er, Biermann lasse, „ob er es will oder nicht, in seinen besten Arbeiten alle politischen und ideologischen Kategorien weit hinter sich". Schützenhilfe holte er sich bei Goethe, indem er dessen Lob des französischen Volksdichters Béranger zitierte. Nebenbei benutzte er Biermann auch als Rammbock im Kampf gegen die (linken) Lyriker in der Bundesrepublik: Anders als diese hätte der ehemalige DDR-Autor „ein Fundament in sich selber". Die angeführten Zitate lassen erkennen, daß ein regelrechtes Tauziehen um den Liedermacher veranstaltet wurde. Den Ausgang konnte nur Biermann selbst bestimmen, aber die Kultur-Zocker mußten sich in Geduld fassen, denn die ersten Schallplatten, die er im Westen produzierte, sorgten nicht gerade für Klarheit.

Die LP *Trotz alledem!* (1978) ließ keinen Zweifel daran, daß Biermann vorhatte, auch im Westen ein politischer Schriftsteller zu sein. Abgesehen vom „Preußischen Ikarus" (das Foto auf der Rückseite zeigt den Sänger auf der Weidendammer Brücke in Ostberlin) hörte man Lieder, die auf die Zustände in der BRD gemünzt waren. Die Bearbeitung des Titelliedes beschwor Erinnerungen an die Dichter des Vormärz herauf, während das auf Jiddisch vorgetragene „Lied des Bundes" die Verbindung zur Tradition der radikalen jüdischen Arbeiterbewegung herstellte. (Die Beschäftigung mit dem jüdischen Kulturerbe sollte im Laufe der 80er Jahre immer intensiver werden. In der DDR-Zeit war das Interesse daran noch relativ gering.) Die Vertonung des Brecht-Gedichts „Gegen die Objektiven" – eine Ermutigung für die geschlagenen „Kämpfer gegen das Unrecht" und eine Bezichtigung der „Zuschauer" – wurde auch aufgenommen, und Texten von anderen Autoren wurde auf den nachfolgenden Platten noch mehr Platz eingeräumt. „Collage Frankfurter Rundschau" veranschaulicht vielleicht mehr als jede andere Biermann-Schöpfung, daß es nicht genügt, die Werke zu *lesen*. Im *Preußischen Ikarus* stehen bloß einige *FR*-Ausschnitte, der Refrain und die Noten dazu, aber die Aufnahme auf der LP ist ein politisches und emotionales Feuerwerk: Eingerahmt von „Unsterbliche Opfer" (dem alten Totenlied der Arbeiterbewegung) werden aktuelle Ereignisse berichtet und von der ausdrucksstarken Stimme des Sängers so kommentiert, daß einem die Apathie vieler Zeitgenossen fast wie ein Verbrechen vorkommen muß. Die Synthese solch verschiedenartiger Elemente konnte wohl nur einem singenden Dichter wie Biermann gelingen. (Vgl. Reinhard Lettaus Collage *Täglicher Faschismus,* die die Erschrockenheit des Herausgebers nur vermittelt wiedergibt.) Es war das Lied „Deutsches Miserere", zu dessen Gestaltung der Philosoph Ernst Bloch beitrug, das am meisten Aufsehen erregte und Widerspruch provozierte. In diesem Lied hielt Biermann an der These von der ‚deutschen Misere' fest, statt sich, wie von gewissen Kreisen erwartet, für die Aufnahme in der Bundesrepublik zu bedanken. Im Grunde liegt hier eine Fortsetzung des alten Liedes „Die hab ich satt!" vor (*FmG,*

37 f.), in dem auf den „ganze(n) deutsche(n) Skatverein" Gift und Galle verspritzt wird. Die Welle der Empörung in den West-Gazetten (nicht nur im *Bayernkurier!*) zeigte, daß Biermanns Eintreten für einen ‚dritten Weg' westlich der Elbe genauso unerwünscht war wie im SED-Staat. Dieser Weg ist immer noch nicht gangbar, und die Prophetie im 11. Teil des „Miserere" ist nur zur Hälfte eingetroffen: „... Und fallen / Wird manch einer auf den Mist / Der Weltgeschichte: da drüben / Die Bonzen – die Bosse hier!"

Nach dem Erscheinen von *Trotz alledem!* glaubte man zu wissen, was für einer der West-Biermann sei, nämlich einer, der die BRD nur insofern „bewohnbar" fände, indem er sich dort einmischte („Anmerkungen zur Platte"). Den Futurologen machte der Liedermacher jedoch einen Strich durch die Rechnung, als er 1979 die Schallplatte *Hälfte des Lebens* herausbrachte. Mit Ausnahme von vier eigenen Liedern präsentierte er Texte von anderen Autoren, die er selbst vertonte. Schon bei *Trotz alledem!* spielten Freunde auf der Posaune, dem Akkordeon und der Geige mit; diesmal griff Biermann selbst zum Synthesizer. Die Auswahl reichte von den Klassikern Lenz, Hölderlin und Heine über Brecht und die Expressionisten van Hoddis und Lichtenstein bis in die Gegenwart. Das Unternehmen war ungewöhnlich, da man den Sänger vor allem als Interpret eigener Werke kannte. In einer schwierigen Zeit des Übergangs mußte eine Neu-Orientierung angestrebt werden, und nichts kennzeichnet *Hälfte des Lebens* mehr als ein Dialog mit Kollegen, die unter der ‚deutschen Misere' litten bzw. noch leiden. Zur vielfältigen Gestalt dieses Leidens gehört u. a. der Tod im Exil (Heine) und im Krieg (Lichtenstein), der ‚Wahnsinn' (Lenz, Hölderlin, van Hoddis, A. Herbrich), die Inhaftierung (J. Fuchs, P. P. Zahl) und die Ausbürgerung (Helga M. Novak). Die deutlichsten Parallelen zur Erfahrung Biermanns sind bei Brecht und Bernd Jentzsch zu finden. „Ziffels Lied", den *Flüchtlingsgesprächen* entnommen, zeigt die gemischten Gefühle des Exilanten („Hört, ihr fern zurückgebliebenen Freunde / Ich bin raus, gerettet, wie es scheint ... Halb hinausgeworfen, halb entflohen ..."), während „Arioso" die Lawine nach 1976 voraussieht: „Ich bin der Weggehetzte. / Nicht der erste, nicht der letzte." Das auf zwei Plattenseiten Dokumentierte ist so überwältigend, daß Biermanns eigene Schmerzen nolens volens relativiert werden. Das Lied „Die Karyatiden" (aus dem *Preußischen Ikarus*) kann diesen Eindruck nur bestärken: Die Lebenslust des Akropolis-Besuchers steht in scharfem Kontrast zum Unrecht, das die sprechende Statue „Zweieinhalbtausend Jahre" mit ansehen mußte. Auch das 1979 entstandene Lied „Auf dem Friedhof am Montmartre" stellt einen Ausgebürgerten dar, der sich zwar verpflichtet fühlt, den Haß der Nazis auf Heine (und die Liebe der Franzosen zu ihm) zu erwähnen, der sich aber offensichtlich freut, endlich auf den Pariser Spuren seines Vorbildes wandeln zu können. Im einzelnen verraten solche Bilder viel über den damaligen Geistes- und Gemützustand des Platten-Gestalters, aber es ist der Gesamteindruck, der einen neuen Biermann vorstellt. Zum einen erfordert der Umgang mit fremden Dichtungen, daß die eigene, stark ausgeprägte Subjektivität zurückgedrängt oder zumindest in einem größeren Zusammenhang gesehen wird. Zum anderen bewegen sich die Vertonungen in den meisten Fällen vom Volkslied weg, d. h. auf das Kunstlied zu. Beim Hermetischen ist man damit noch lange nicht angelangt, doch die Rezeption erheischt äußerste Konzentration. Die künstlerische Gestaltung, die auch sonst sehr ernst genommen wird, ist hier in den Vordergrund getreten. War das der Beginn einer Annäherung an den ‚bürgerlichen Kulturbetrieb', den linke Fans befürchtet hatten? In seiner Rezension sah sich Thomas Rothschild jedenfalls veranlaßt, extra zu betonen, daß Biermanns Gestus „weit entfernt von dem des spätbürgerlichen Avantgardisten" Schönberg sei (*FR*, 10. 11. 1979). Der Musikologe Frieder Reininghaus stellte keine Dichotomie fest, dafür eine gewisse Zweigleisigkeit: „Er läßt nicht locker im Anspruch, zur großen Masse zu sprechen, und liebt die Eleganz, die Vieldeutigkeit, den aphoristischen Charakter der kleinen Form." (*FAZ*, 27. 1. 1981.)

Der erste Teil dieses Zitats bezieht sich auf die LP *Eins in die Fresse, mein Herzblatt* (1980), die die Wahlkampftournee „es grünt so grün" dokumentiert. Im dazugehörigen Textheft äußerte sich Biermann zu den Befürchtungen von seiten der Linken: „Nach der noblen *Hälfte des Lebens*-LP, nach den 27 viel zu schönen Liedern, fürchteten manche, hofften andere, ich sei nun in die höhere Kunst abgestiegen. Nun ... geht es wieder in den tagespolitischen Dreck der Epoche. So soll es sein. Und ich mißtraue Feinden wie Freunden, die immer nur den reinen Dreck oder die dreckigste Reinheit wollen". Man könnte diese Einstellung abschätzig mit der Reich-Ranicki-Phrase „zwischen den Stühlen" charakterisieren, aber das ginge am Kern der Sache vorbei. Hier behauptet sich der Künstler, ohne daß das Politikum von der Bühne verschwände. Diese Konstellation entbehrt nicht der Ähnlichkeit mit der Lage Brechts. Dieser zwang sich, öfter als ihm lieb war, von einem „Gespräch über Bäume" abzusehen, da man einen solchen Diskurs als Zeichen mangelnden Interesses an den politischen Auseinandersetzungen hätte deuten können. Biermann konnte sich erst nach der Befreiung vom Clinch mit dem Politbüro einen längeren Urlaub vom „Dreck" leisten, und in diesem Urlaub entstand *Hälfte des Lebens*. In solchen Pausen arbeiten *Politiker* an Tagebüchern oder Memoiren, aber politische *Künstler* frönen ihren sonst zu kurz gekommenen ästhetischen Neigungen. Diejenigen, die einen Biermann sozusagen im pausenlosen Einsatz sehen möchten, hegen falsche Erwartungen und erweisen dem engagierten Schriftsteller einen schlechten Dienst.

Auf der 1980er Tournee ging es wieder um sehr direkte politische Mitteilungen, und dem Gestaltungsdrang mußte Zügel angelegt werden. Das ist allerdings nicht so zu verstehen, daß Biermann Agitation mit dem Preßlufthammer betrieb, sondern so, daß er – ohne anläßlich der Bundestagswahl eine Partei zu empfehlen – seine Wut und seine Ängste zum Ausdruck brachte. Es wurde ab und zu gebrüllt, aber leise Töne durften auch vorkommen. Darüber hinaus liegt ein wichtiger Unterschied zu *Hälfte des Lebens* darin, daß die Adressaten der Lieder nur auf der Linken zu orten sind (was z. B. auf potentielle Rezipienten von „Die Wolkenschiffe" oder „Die März-Lieder" nicht zutrifft). Auf Strauß- oder Carstens-Anhänger wurde nicht eingeredet: Der Sänger blieb diesmal im „linken Pißpott", in dem es ihm später nicht so gut gefallen sollte. Den Anfang des Konzerts im Audimax der FU Berlin (25. 5. 1980) gestaltete er jedoch so, daß in Erinnerung bliebe, daß er auch anders könnte. Dem Publikum erzählte er, er wolle mit einem Gedicht und einem Lied beginnen, „das Gedicht etwas feiner, das Lied etwas gröber". Beide hätten aber das gleiche Thema, „nämlich, daß es in der Gesellschaft, in der gesellschaftlichen Natur, so viel anders, so viel komplizierter läuft als in der Natur-Natur". Was er mit „feiner" und „gröber" meinte, ergibt sich aus der Lektüre der beiden Texte. Das Gedicht „Der Herbst hat seinen Herbst" veranschaulicht auf erschütternde Weise die Berechenbarkeit der Natur und die Unberechenbarkeit des Menschen, ohne daß die Bildersprache vom Dichter entziffert werden müßte. Anders als der Mensch sei die Natur „sanft" und „gelassen", und auch ihre weniger idyllischen Aspekte seien nicht schrecklich, wie es das folgende Oxymoron ausdrückt: „Bald / blüht schon der Winter". (Ist es ein Widerspruch, daß Rudi Dutschke im „Totenlied" als „sanft" bezeichnet wird, oder wollte Biermann entgegen den eigenen Auffassungen wahre Menschlichkeit als eine Überbrückung der Kluft zwischen Mensch und Natur darstellen?) Im Gegensatz zu diesem eher ‚zeitlosen' Gedicht, in dem mit das schönste Bild im Gesamtwerk sich entdecken läßt („Und der Wind / mühelos erntet er / Spatzen vom kahlen Gesträuch"), wird im „Song von den Jahreszeiten" die Natur als Gleichnis verwendet, wobei es allerdings wenig zu entschlüsseln gibt. Der „Dreck der Epoche" wird in Strophenform dargeboten, und man braucht dem Sänger nur zuzunicken. Daß die auf diese Weise kreierte Eintracht gefährlich sein kann, entging Biermann nicht; deshalb sang er auch das Lied „Für einen faulen Fan", worin eine Mahnung zweimal vorkommt: „Also laß dich hier von mir nicht / an den Liederschnuller legen!"

Wozu dann die ganze Anstrengung auf dieser Tournee? Es lassen sich zwei Ziele ausmachen: 1) Ermutigung der Mitstreiter (das alte Lied mit diesem Titel wurde bestimmt nicht aus nostalgischen Gründen gesungen); 2) Benennen und Anprangern von Mißständen. Daß manche Lieder, die zur zweiten Kategorie gehören, kaum von Dauer sein werden, gehört zum

Wesen des kämpferischen Zeitgedichts. Wer derartige dichterische Bemühungen kategorisch ablehnt, schränkt den Spielraum der Literatur zu sehr ein. Außerdem ist es nicht so, als wäre alles, was Biermann damals Unbehagen bereitete, längst aus der Welt. Die Lieder „Heimspiel" und „Gemütlicher Faschismus" z. B., die sich mit der antisemitischen Unterströmung im deutschen Alltag befassen, hätten auch in den 90er Jahren entstehen können, und das gilt auch für „Schlaflied für Tanepen", in dem es um einen Hungerstreik der Sinti in Dachau geht. Die Verse über Schmidt und Strauß waren für den sofortigen Gebrauch bestimmt und sind nur noch als Zeitdokumente interessant. (Erwähnenswert ist aber, daß Paul Celans „Todesfuge" das Motiv für die vierte „Variation zu Strauß" liefert.) Schließlich muß auf drei Lieder hingewiesen werden, die für die Entwicklung des Dichters Biermann von Belang sind. Anders als 1968 („Drei Kugeln auf Rudi Dutschke") werden die „wahren Mörder" im „Totenlied" nicht genannt, und der Tenor ist Trauer, nicht Zorn. Das Porträt des an den Folgen des Attentats gestorbenen Freundes („Sanft war er, sanft, ein bißchen zu sanft / wie alle echten Radikalen") deutete an, daß der Dichter sein Selbstbild einer Prüfung unterzieht. Im „Liedchen" gelingt es, den ‚dritten Weg' mit den einfachsten Worten zu beschreiben, und die gewählte Formulierung bietet vielleicht (unbeabsichtigterweise) eine Erklärung dafür, warum dieser Traum nie zur materiellen Gewalt geworden ist: „Nicht so reich sind da die Leute / aber lustiger dabei / nicht so fett sind da die Leute / aber frei!" Am „Kaminfeuer in Paris" wird die Suche nach der verlorengegangenen Nestwärme fortgesetzt, und die Heine-Stimmung gibt einen Vorgeschmack von den vielen Frankreich-Versen im nächsten Gedichtband. In Zukunft wird die grüne Doppelplatte wahrscheinlich nur noch von waschechten Biermann-Fans und linken Nostalgikern aufgelegt werden, aber jede Kulturgeschichte (Kultur im weitesten Sinn des Wortes) der 80er Jahre wird sie berücksichtigen müssen.

Auch die Reaktion der Journalisten auf diese Tournee spricht Bände. Der *Spiegel*, eine Zeitschrift, die bis 1976 viel zur Entstehung der Biermann-Legende beigetragen hatte, druckte einen

Beitrag von Christian Schultz-Gerstein (Nr. 20, 1980), der eben-diese Legende zu demontieren versuchte. Nicht nur die „Gesin-nungslyrik zum Mitklatschen" wurde angegriffen, sondern auch der Liedermacher selbst, der sich „eingedenk des Unfaßli-chen" das Haar raufe und auf der Bühne „die bewährten Gesten des Schmerzes" einsetze. Aus dem oft gelobten Freiheitssänger wurde hier ein Heuchler, der sich betroffen gibt, weil das beim Publikum so gut ankommt – ein zynischer Entertainer also. Daß man den Anti-Strauß-Kämpfer Biermann kritisieren konnte, ohne ihn zu diffaminieren, führte Michael Frank in der *Süddeut-schen Zeitung* vor (23. 5. 1980). Frank beklagte, daß Biermanns „öffentliche Redelust" in „Geschwätzigkeit" münde, weil er an-scheinend nicht mehr seinen Liedern vertraue – vielleicht des-halb, weil die neuen Lieder „den großen älteren Balladen und Songs" nicht gewachsen seien. Anders als der *„Spiegel-Mensch"*, der „einen Kanzler Strauß ganz für sich allein ver-dient" habe, wünschte sich Frank wieder Biermann-Lieder, „aus denen man sehr viel Mut und Trauer, Wut und Kampfes-lust, skeptische Melancholie und wärmenden Solidaritätsgeist ziehen kann". Die meisten Kritiker waren nicht begeistert bzw. sehnten sich nach dem ‚alten' Biermann, und auch diejenigen, die, wie Rothschild, Reininghaus oder Joachim Fritz-Vannahme („eine erfrischend widersprüchliche Platte" – *Badische Zeitung*, 30. 3. 1981), Positives zu melden hatten, taten es eher mit ge-dämpfter Stimme. Das alles geschah aber mehr am Rande des Kulturbetriebs. Erst 1981 stand Biermann wieder im Mittel-punkt, und der Anlaß war kein erfreulicher.

An einem Sommerabend im Jahr 1981 besuchte der Litera-turkritiker Fritz Raddatz, damals noch Chef des *Zeit*-Feuille-tons, den Liedermacher in seinem Hamburger Haus. Seine Ein-drücke veröffentlichte er in der *Zeit* (Nr. 35, 1981) unter dem Titel „Nächtlich bei Biermann". Wichtiger war der Untertitel: „Es ist still geworden um den Liedermacher – oder ist er still ge-worden?" Raddatz, der ein Jahr zuvor als Moderator des Streit-gesprächs Biermann/Kunert mit der ‚Trotz-alledem'-Einstellung des Sängers sympathisiert hatte, sollte Biermann 1987 als Ver-treter der „dritte(n) deutsche(n) Literatur" („die einzige von politischer Evidenz") loben. (Vgl. F. R., 1987, 53.) 1981 war das anders. Raddatz erlebte einen „fast melancholische(n)" Mann, und er fragte sich: „Hat der Barde, der Kämpfer, der wütende Ankläger sich zurückgezogen auf seine Gartenbank ...?" Nacherzählt wird das Gespräch so, daß klar wird, der Besucher war nicht irritiert, sondern fasziniert. Wäre es bei diesem kurzen Porträt geblieben, so wäre kaum Staub aufgewirbelt worden. Es kam aber zu einem Schlagabtausch, weil ein *Spiegel*-Journalist eine Polemik gegen Biermann publizierte, die mit Zitaten aus dem Raddatz-Artikel bespickt war („Öder Stern", Nr. 25, 1981). Wer gemeint habe, der Liedermacher sei „ein engagierter politischer Künstler", sei einem „Mißverständnis" aufgesessen. Zunächst glaubt der Leser, der Hauptvorwurf des Polemikers gehe dahin, Biermann sei ein „Kleingarten-Poet" geworden, der jetzt „Kapitulationsverse" schmiede. Ein solcher Vorwurf war damals, auch von gewissen Linken, schon mehr als einmal erhoben worden. Diesmal war das jedoch erst der Anfang. Worte wie „großspurige Unverbindlichkeit" oder „Pose" signalisierten, daß der Bundesbürger wider Willen ab ovo ein Opportunist gewesen sein soll, der bloß ein „Protest-Schauspiel" veranstalte und sein Mäntelchen nach dem Wind hänge – ein ewiger Wendehals also! Der *Spiegel* bekam daraufhin wütende Leserbriefe (vgl. Nr. 38, 1981), in denen mal der Sänger, mal das Wochenblatt attackiert wurden.

Die Biermann-Schelte im *Spiegel* war in ihrer Art nicht weniger massiv als diejenige im *Neuen Deutschland* sechzehn Jahre zuvor. In seiner Gegendarstellung im Hamburger Nachrichtenmagazin („Triefende Dichtung und banale Wahrheit", Nr. 40, 1981) glaubte der Gescholtene auch eine gewisse Parallele zu entdecken: Die West-Schreiber zeigten „eine Tendenz zu einer wirklichkeitsabgewandten Monotonie, wie ich sie in der brutalen Konsequenz aus dem Osten kenne". (Man vergleiche die Formulierung im vierten Teil des „Deutschen Miserere": „Und im Westen die Zeitungsschreiber / Sie lügen frech, wie sie wolln / Aber ihre Kollegen im Osten / Die lügen korrekt, wie sie solln" – *PI*, 200.) Im „eNDee" wäre Biermann natürlich überhaupt nicht zu Wort gekommen (sein Konterfei schmückte dessen Seiten auch erst im Herbst 1989), und seit der Ankunft im Westen hat er die Bedeutung der ‚bürgerlichen Freiheiten‘ durchaus nicht bagatellisiert (s. das Gespräch mit G. Gaus), aber er hat auch erfahren müssen, wie schwer es ist, sich gegen Rufmordkampagnen zu wehren. (Vgl. Raddatz’ Replik in der *Zeit*, Nr. 41/1981.) In seinem *Spiegel*-Text „in eigener Sache“ – der übrigens auf den Seiten 248 und 249 ziemlich ungünstig plaziert war – widerlegte er Raddatz’ Darstellung („Extrakt einer romantischen Wassersuppe“) Punkt für Punkt, und er polemisierte auch gegen den *Spiegel*-Journalisten: „Die feineren Lügen werden ja vom Pack nicht geglaubt.“ Aus heutiger Sicht ist die Polemik an sich weniger interessant als etwas anderes, was die Gegendarstellung offenbarte: Die vielen Angriffe von rechts *und* links – Biermann ärgerte sich besonders über „Wegwerf-Linke“, die ihn nun wegwarfen ‚wie eine Flasche ohne Pfand“ – waren nicht wirkungslos geblieben. Seine eigene Lust am Streit hatte manche vergessen lassen, daß er auch – wie jeder echte Dichter – ein sensibler Mensch ist. Er merkte, daß es an der Zeit war, den kulturellen Kriegsschauplatz vorübergehend zu verlassen. Er kündigte im *Spiegel* an, er werde nach Frankreich gehen, „in eine politische Landschaft, in der die Linken sich streiten wie überall, aber sich nicht gegenseitig aus der Menschheit so leicht ausschließen“. ˋ

Die ersten Früchte des Frankreich-Aufenthalts waren im 1982 erschienenen Band *Verdrehte Welt – das seh’ ich gerne* zu besichtigen. Das dritte Kapitel, „A Paris“, ist ein sehr persönlicher poetischer Reiseführer durch ein Land, das vielen deutschen Schriftstellern Asyl gewährt hat. Auch Biermann findet „ein warmes Nest . . . am Butte aux Cailles“ (150), aber er bildet sich nicht ein, die Zuflucht im Ausland wäre eine Idylle. Noch erstaunlicher: Der Liebhaber der Utopie bleibt auch nach dem Wahlsieg Mitterands auf dem harten Boden der Tatsachen. So ist z. B. der Wahlkommentar im Prosatext „Tout le monde“ ziemlich nüchtern und daher uncharakteristisch: „Auch der neue Präsident wird mit bürgerlichem Wasser kochen – kein Grund also für besoffene Hoffnung, kein Grund für besoffene Ängste.“ (121) Die politische Besoffenheit werde sich erst nach einer Revolution im Osten einstellen, erfährt man am Ende des langen Gedichts „A Paris" (114). Dieser Text, der eigentlich – abgesehen vom gelegentlich verwendeten Reim – aus Prosapassagen in Strophen verschiedener Länge besteht, ist ähnlich sprunghaft wie die „Vorworte" im *Preußischen Ikarus.* Nach kritischen Bemerkungen zur Kluft zwischen Arm und Reich an der Seine (die Unterschiede seien in „Hambourg" nicht so kraß), zu „Mietenwucher und Maloche / Inflation und Rassenhaß" (111) erklärt der Dichter, warum er trotzdem „erstmal gern hier in der Fremde" verweilt: „Endlich mal verschont zu sein / Von den allzu penetranten / Ungeteilten Schweinepriestern / Heimatlichen Ignoranten . . ." (112). Es folgen verschiedene Pariser Eindrücke, wie sie in jedem Urlaubsvideo vorkommen, bis der Flaneur beim Zeitungshändler eine „Headline" (?!) entdeckt: „Walesa: Je n'ai pas peur!" (113) Jetzt wird klar, daß der Ausgebürgerte seine politische Heimat weder in Hamburg noch in Paris, sondern nur in der DDR haben kann. Er stellt sich die Rückkehr in eine deutsche revolutionäre Republik vor, und die skeptischen Worte der Französin Garance wischt er einfach beiseite: „Niemals wirst zu mich verstehn" (164). Zur gleichen Zeit fürchtet er jedoch, daß er auch in der ‚neuen' DDR mißverstanden oder gar übersehen werden könnte. Die Schlußverse wurden nicht von ungefähr in der *taz* (13. 11. 1989) abgedruckt, als die poetische Vision politische Realität zu werden schien: „Keiner kann sich groß erinnern / Und kein Schwanz kann mich noch brauchen / Und dann bin ich ganz am Ziel / Dann beginnt erst mein Exil." „A Paris" ist ein wichtiges Zeitdokument und gehört zu den aussagekräftigsten Werken im Biermannschen Oeuvre, aber es ist unwahrscheinlich, daß dieses Gedicht künftig viele Leser finden wird, denn die Lektüre setzt einfach zuviel Detailkenntnis in bezug auf die Biographie des Autors sowie die damaligen Umstände voraus. Der Dialog droht in einen Monolog umzukippen.

Biermann ging nicht zufällig nach Paris, aber sein Interesse galt weniger den französischen Zeitgenossen als den Lokalitäten historischer Ereignisse. Er besuchte Heines Grab, tanzte in der „Mainacht" mit dem auferstandenen Danton, hatte eine unheimliche Begegnung mit „Hölderlin in Bordeaux" und erinnerte sich erneut an die Pariser Kommune, indem er „Le Temps des Cerises" ins Deutsche übertrug. Das Graben in der von Blut durchtränkten Erde war für ihn wohl notwendig, aber vor Ort förderte er im Grunde das zutage, was er schon im fernen Berlin gewußt hatte. Man fragt sich, ob das alles hätte unbedingt publiziert werden müssen, z. T. sogar in doppelter Ausführung (vgl. „A Paris"/„Logik des Exils" und „Die Mainacht"/„Tout le monde"). Der alte ‚naive' Biermann tritt nur in „Die Spatzen vom Wachtel-Hügel" in Erscheinung, es sei denn, man rechnet die letzte Strophe der Aragon-Übertragung „Glückliche Liebe" dazu, wo das Anfänger-Werk „Wie Lieder gemacht werden" paraphrasiert wird. Die Hinwendung zum Prosagedicht ist manchmal problematisch, und die Verwendung der doppelten bzw. dreifachen Negation wird, milde gesagt, überstrapaziert (vgl. z.B. „Le Temps des Cerises": „... niemals nie keine Furcht" – 115). Auch die Begegnung mit Exil-Kollegen lenkt nicht immer von den eigenen Sorgen ab. Das Gedicht über den argentinischen Gitarristen Atahualpa Yupanqui, dessen rechte Hand bei der Folter zermalmt wurde, enthält bei aller Empörung ein wunderschönes Bild („jetzt spielt er die Leere / voller noch, die Pausen bluten / ja, jetzt ist der stille Abgrund / zwischen Ton und Ton / vollendet" 130), während der kurze Prosatext „Paco Ibanez" von Spaniern redet und Deutsche meint: „Für die Politparasiten auf ihren bezahlten Plätzen sind verheilte Wunden keine Attraktion. Sie wollen als wohlfeile Ware vom Künstler die unbedingte Identität von Kunst und Leben, Botschaft ohne Martyrium taugt ihnen nichts ..." (133) Diese Stimme der Bitterkeit stammt von einem, der seit dem Grenzübertritt viel Kritik von links hat einstecken müssen. Führte man diesen Gedankengang aber bis zu ihrem logischen Schluß weiter, so müßte Biermann nur vor lupenreinen Aktivisten singen, und solche Leute sind kaum in großer Zahl anzutreffen – außerdem haben sie oft wenig Zeit für Konzerte! Hölderlin sagt dem Exilanten zwar, „Ich sehe Monsieur, Sie haben den Westen schrecklich schnell gelernt" (138), aber die anderen Texte lassen erkennen, daß es sich um ein zähneknirschendes Lernen ohne große Freude handelt.

Ganz anders wirkt das 4. Kapitel „Gott in Poln", denn hier kommen alte Leidenschaften ins Spiel. Biermann reagiert in diesem Fall auf die Aktivitäten der Solidarność und deren Unterdrückung durch das Militärregime unter General Jaruzelski. „Es war das erste Mal seit meinem Rausschmiß, daß ich richtig Heimweh kriegte", sagte er damals in einem Gespräch (I&G 1982 h). Dieses Heimweh wird in Versen, aber auch in Prosa bzw. Prosagedichten verarbeitet, wofür der Betroffene auch eine Erklärung lieferte: „Gelegentlich, wenn der Schmerz zu groß wird, muß der Mensch wohl brüllen wie ein Tier." (I&G 1982 b) Die eigentlich lyrische Sprechweise bleibt eine Randerscheinung (weshalb die Störche in „Aber vorher" so sehr auffallen), d. h. das „Gröbere" überwiegt. Biermann begeistert sich für die „erste klassische Arbeiterrevolution" (165), beschimpft den „Bluthund" Jaruzelski (im Gedicht „Der 13. Dezember", das in der *FAZ* abgedruckt wurde) und streitet sich mit dem toten Vater, dem die Kritik am ‚Sozialismus' nicht gefällt. Die polnischen Proleten werden als die rechtmäßigen Erben der Pariser Commune von 1871 dargestellt („Vergleichen"), und ihr Führer Lech Walesa steht im Pantheon der revolutionären Märtyrer neben Marx, Rosa Luxemburg und Antonio Gramsci („Schuften"; das Motiv der ‚Traumarbeit' ist vielleicht von Büchners *Woyzeck* angeregt). Mit der Beobachterrolle kann sich der ehemalige Ost-Genosse nicht abfinden, und die Frage nach dem Verbleib des Dichters Adam Zagajewski ist wohl auch eine introspektive: „... Warum nicht mich! Was hab ich groß / verbrochen, warum werd grad ich verschont! / Ich weiß es ja nicht..." (171) Dieses Gedicht endet mit den Worten „... Nicht wissen / wohin ich noch lebe." (ebd.), und die Desorientierung hängt nicht zuletzt mit Utopie-Verlust zusammen. Im „Kinderlied" geht die „Mutter Erde" mit dem Kind „Kommunismus" schwanger, aber schon vor der Geburt hat sie ein „Riesenkadaverlein" unterm Herzen (163 f.). Der Abschied von diesem Traum (der in „Totgeburt" überflüssigerweise wiederholt wird) ist allerdings kein Abschied von utopischen Vorstellungen an sich, sondern eine Distanzierung von der eher orthodoxen Sichtweise des Vaters, was jedoch schmerzhaft genug ist. Dieser

Schmerz schwingt sicher mit, wenn in vielen Texten das Verhalten der westeuropäischen, speziell der deutschen Linken kritisiert wird, deren „vornehme Zurückhaltung" als „brutale Einmischung auf seiten der Konterrevolution" interpretiert wird (155; vgl. dazu auch I&G 1982 f.). Biermann nahm damals das Risiko auf sich, mit dem Jaruzelski-Kritiker Franz Josef Strauß in einen Topf geworfen zu werden (der *Bayernkurier* registrierte einen gewissen Lernprozeß beim Liedermacher), und die Kluft zwischen ihm und seinen mutmaßlichen Genossen im Westen wurde noch tiefer.

Verdrehte Welt enthält allerdings nicht nur politische Kontroversen (mit abgedruckt sind auch die Lieder aus *Eins in die Fresse, mein Herzblatt*): Auch das andere poetische Verfahren, d. h. das „Feinere", kommt zu seinem Recht. In der ersten Zeit im Westen wäre das nicht möglich gewesen, meinte Biermann im Gespräch mit Frieder Reininghaus: „Sensationell ist für mich, daß ich endlich fähig bin, über den Alltag zu sprechen, weil ich wieder einen Alltag habe. ... Jetzt komme ich wieder in einen ganz normalen Lebensrhythmus ..." (I&G 1982 c). Die meisten Lieder, die sich von diesem neuen Rhythmus tragen lassen, wurden auf der Schallplatte *Wir müssen vor Hoffnung verrückt sein* (1982) zusammengebracht. Schon die Fotos auf dem Cover sind ein Programm: Vater Biermann hält die beiden Zwillinge Marie und Til auf dem Arm, und die Müdigkeit um seine Augen rührt offensichtlich nicht von Polit-Schlachten, sondern von schlaflosen Nächten mit den Kleinkindern her – zumindest zum Teil, denn die Schlaflosigkeit hat auch gesamtgesellschaftliche Ursachen. Diese werden im „Willkommenslied für Marie" (*VW*, 52 f.) thematisiert, in dem das klassische Biermannsche Lied-Muster ‚Familienalbum + Geschichtsbuch' wieder in Erscheinung tritt. Der dialektische Aufbau des Liedes deutet an, daß einfache Lösungen nicht zu erwarten sind. Die Eltern, die an der Wiege stehen, wünschen dem Kind ein glückliches Leben, wie es Eltern schon immer getan haben, doch die Familienidylle hat einen Riß: In der schön bemalten und stabilen Wiege könnten „nochmal hundert Jahr / Die Menschlein ... liegen", doch apokalyptische Ahnungen lassen das unwahrscheinlich erscheinen. Das unaufhaltsame Wettrüsten („Du liegst im Schlachtfeld mittendrin") werde unseren Planeten früher oder später zerstören: „Die Erde wird ein öder Stern". Diese Befürchtung ist um so beunruhigender, als sie von einem geäußert wird, der sonst – anders als etwa Günter Kunert – trotz allem die Hoffnung auf eine bessere Welt nicht aufgibt. (Das hängt wohl nicht nur mit der damaligen Intensivierung des Kalten Krieges zusammen, sondern auch mit dem Fehlen des für Ermunterung zuständigen Freundes Robert Havemann, der im April 1982 starb.) Der Lebenswille regt sich wieder im phantasievollen und (ohne Gitarre) unterhaltsam vorgetragenen „Willkommenslied für Til": Da dem „kleine(n) König ... mit Scheiß am Bein" prophezeit wird, „Dein Reich wird sein von dieser Welt" (55), müssen sich die Eltern für die Erhaltung dieser Welt einsetzen (es sei denn, sie entwickelten die raffinierten Verdrängungskünste, die sich allzu viele angeeignet haben). Auch in der denkwürdigen „Ballade vom wiederholten Abtreiben", einem der bewegendsten Beiträge des Dichters zu diesem Genre, behauptet sich der (Über-)Lebenswille. Biermann zeichnet das Leben der Sängerin Eva-Maria Hagen nach und beschwört damit, anhand des Einzelschicksals, ein halbes Jahrhundert deutscher Geschichte herauf. Dabei redet er natürlich auch von sich selbst, und der Rückblick auf die Ausbürgerung ist besonders aufwühlend: „Und so wurd ich abgetrieben / Meine Landesväter schmissen / Mich und andern Menschenabfall / Ihren Feinden vor die Füße" (13). Noch wichtiger ist der letzte Teil als Bekenntnis zum paradiesfernen West-Alltag: „Gute Leute gibt es drüben / – hier hab ich sie auch gefunden. / Und ansonsten: Nirgendwo / Mangelt es an Schweinehunden" (14). Das Lied „Bei Flut", in dem nach bewährter Manier ein Naturereignis als Spiegelbild menschlichen Verhaltens geschildert wird, legt die Sehnsucht nach der DDR (scheinbar) ad acta, und „Großer Segeltörn" führt dann vor, warum das geschieht: In der Nähe der DDR-Küste schlägt dem Dichter ein „Hammer" in der Brust (57), der für die selten ausgesprochene Angst steht. Die Abwesenheit der oft bemängelten Künstler-Eitelkeit ist wohltuend, und die Vertonung eines Passus aus dem Alten Testament, in dem es auch um die Eitelkeit geht („Ich wandte mich und sah" aus Prediger 9, 11) ruft überhaupt zu mehr Bescheidenheit auf. Zusammengenommen fügen sich diese Lieder m. E. zu der künstlerisch und menschlich überzeugendsten Plattenseite, die Biermann bis heute produziert hat. *Wir müssen vor Hoffnung verrückt sein* markiert das Ende des Aufenthalts im kulturellen Durchgangslager und damit die endgültige Ankunft des West-Schriftstellers Biermann. Daß die alten Ecken und Kanten beim Transport nicht gänzlich abgeschliffen wurden, versteht sich von selbst. (Daß diese ‚Ankunft' doch nicht so endgültig war, stellte sich erst viel später heraus.)

V. Vom exilierten DDR-Autor zum
gesamtdeutschen Mahner

Weil ich kein Land mehr seh in keinem Land
Auf all dem Industriemist kräht kein Hahn
Die Menschlein taumeln über jeden Rand
Zu arm, zu reich, zu klein im Größenwahn . . .

Nach der Publikation von *Verdrehte Welt* bzw. *Wir müssen vor Hoffnung verrückt sein* versuchten die Kritiker erneut, Biermann politisch und literarisch einzuordnen. Otto F. Riewoldt entdeckte „vorläufige, selbstzweiflerische Züge" (*Vorwärts*, 7. 10. 1982). Das tat auch Hans-Klaus Jungheinrich, der zu bedauern schien, daß der Liedermacher keiner mehr sei, „an dem man sich festhalten kann". Er fügte allerdings hinzu, wenn Biermann „Bestandsaufnahmen" liefere und kein „Rezeptbuch", so sei er in der Epoche der ‚Wende' kein „Unzeitgemäßer" (*FR*, 6. 11. 1982). Am bemerkenswertesten war wohl Peter Demetz' Beitrag (*FAZ*, 6. 11. 1982) zum angehenden Versuch, den Ausgebürgerten umzumodeln (vgl. oben). Demetz setzte sich für den „fragilen Poeten" ein und grenzte sich vom „roten Polit-Schreck" ab (scharf wurden angebliche „Agitprop-Übungen aus Großvaters Zeiten" gegeißelt). Es ist nicht uninteressant, von ihm zu hören, wie schwierig es sei, diesen Biermann-Band zu rezensieren: „Es wäre alles viel einfacher, wenn sich die gelungenen Gedichte in den privaten und die problematischen in den politischen Abschnitten fänden, aber so ist es eben nicht." Einfacher für wen? Offensichtlich für diejenigen, denen das Politische im blühenden Garten der Poesie wie ein lästiges Unkraut vorkommt. (Das Politische kann aber unter Umständen ein notwendiges Übel sein: Demetz hatte nichts dagegen, daß Biermann seine linken Fans kritisierte oder die Solidarność unterstützte.) Der Meinungsstreit um Biermann geht bis zum heutigen Tag weiter, wobei zumindest eine Konstante festzustellen ist: Die meisten Freunde und Feinde streiten seine Begabung nicht ab. Stellvertretend für die vielen Stimmen soll Achim Barth zu Wort kommen. In einem Artikel nannte er Biermann den „bedeutendsten deutsch-deutschen Dichtersänger", glaubte diese Aussage jedoch in Klammern folgendermaßen ergänzen zu müssen: „... ob es einem nun behagt oder nicht ..." (*Rheinischer Merkur/Christ und Welt*, 17. 12. 1982.)

Obwohl Biermann seit den frühen 80er Jahren mit einem – für seine Arbeit unentbehrlichen – ‚West-Ich' ausgestattet war, hieß das noch lange nicht, daß nun alles einfach seinen sozialmarktwirtschaftlichen Gang gehen würde. Er mußte immer noch politische Angriffe abwehren (z. B. von seiten der DKP, weil er in einer „Panorama"-Sendung den Einfluß der SED – mittels ihrer westdeutschen Vasallen – auf die westdeutsche Friedensbewegung beklagt hatte), und Kummer im Privatleben führte zeitweilig zu einer Entfremdung zwischen ihm und dem sonst so treuen Konzert-Publikum, weil er seine Ehekrise in vielen Liedern be- und zersang. (Tom R. Schulz schrieb damals in der *Zeit* – Nr. 25/1984 –, „daß man manchen Moment fürchtet, er werde über den Verlust der Geliebten gleich hier auf der Bühne in Tränen ausbrechen".) Auf den Innenseiten der Doppel-LP *Seelengeld* (1986) findet sich eine kleine Fotodokumentation über diese Zeit. Da sieht man den Liedermacher u. a. mit seinen Kindern (aber ohne seine Frau) im Hamburger Garten, im Gespräch mit Rudi Dutschke und Ernst Bloch, vor einer alten Industrieanlage in Ohio/USA, wo er 1983 ein Semester als Gastdozent lehrte und vor einem Polizeikordon in Mutlangen, wo die Stationierung von amerikanischen Pershing II-Raketen verhindert werden sollte. Zur Feier seines 50. Geburtstages lud er 1986 sieben Kollegen ein, im Kölner Schauspielhaus mit ihm aufzutreten. Da diese Kollegen aus dem Ausland kamen, mußte der Eindruck entstehen, Biermann sei *der* deutsche Liedermacher. Seine Tourneen führten ihn kreuz und quer durch die Bundesrepublik, und er fing an, vor jüdischen Gemeinden zu singen und zu diskutieren. Im Fernsehen gab es längere Interviews – z. B. mit Günter Gaus (1986) und Joachim Fuchsberger (1990) –

und durch Stippvisiten bei Unterhaltungssendungen wie „Klassentreffen", „Wetten, daß" und „Dingsda" versuchte er, dem „linken Pißpott" zu entkommen, obwohl er sich wohl kaum eingeredet haben kann, der schlichte Normalbürger würde stundenlang Schlange stehen, um Karten fürs nächste Konzert zu ergattern. Insgesamt war durchaus ein reges und buntes Treiben zu verzeichnen, aber die ganzen Aktivitäten waren doch noch vom ungelösten Verhältnis zur DDR belastet. Aus heutiger Sicht (1991) sieht es so aus, als hätte Biermann in den 80er Jahren weniger im Konzertsaal als im Wartesaal gesungen. Trotzdem muß man sich vergegenwärtigen, was er in dieser Zeit produzierte, ehe man seine Rolle bei der ‚deutschen Revolution' von 1989/90 unter die Lupe nimmt.

Der 1986 erschienene Band *Affenfels und Barrikade* trägt zwar den Untertitel „Gedichte, Lieder, Balladen", aber er enthält auch die Prosatexte „Nürnberger Bardentreffen" und „Eine kleine Friedenskämpferei in dem Kaff Mutlangen" (die Überschrift des letzteren ironisiert das Unternehmen auf typisch Biermannsche Weise, doch der Leser darf trotzdem ein Foto bewundern, auf dem der Sitzblockierer aus dem fernen Hamburg von zwei Polizisten weggetragen wird). Viele der Lieder sowie das Langgedicht „Vom Lesen in den Innereien" sind auf den Platten *Im Hamburger Federbett* (1983), *Die Welt ist schön* (1985) und *Seelengeld* (1986) zu finden, aber mehrere harren noch der Aufnahme. Die Produktivität des Liedermachers ist über einen längeren Zeitraum hinweg so erstaunlich rege geblieben, daß man eine alte Bemerkung getrost wiederholen darf: Der Biermann hat noch genug Material für viele Langspielplatten im Koffer. Bei *Affenfels und Barrikade* ist auch etwas Neues hinzugekommen, nämlich ein allgemeines Kapitel darüber, wie Biermann dichtet.

In diesem 3. Kapitel mit dem Titel „Vom Lieder- und Gedichtemachen" findet man ein Gedicht und einen Prosatext, die viel über die Arbeitsweise des Liedermachers und Lyrikers aussagen. Das Gedicht heißt „Dichtkunst" (91 ff.) und ist Erich Fried gewidmet, dem er es auch bei einer Feier in Wien zu dessen 65. Geburtstag vortrug. Um seine Botschaft zu unterstreichen, wählte

Biermann eine strenge Form: vierfüßige Trochäen in Vierzeilern mit dem Reimschema a-b-b-a – nicht etwa in dieser oder jener Strophe, sondern durchgehend. Der Kontrast zum Inhalt könnte kaum stärker sein, denn in wortreichen Eruptionen fordert er den geachteten politischen Dichter Fried dazu auf, aus dem vollen Leben zu schöpfen, statt „Gedachte" (ein Biermannscher Neologismus) zu dichten. Es ist im Grunde der alte Streit zwischen naiver und sentimentalischer Dichtung, aber – mancher mag es bedauern – der Hamburger ist nicht mehr der ideale Vertreter des Naiven, der er einst war. Es wäre freilich nicht zu weit hergeholt, „Dichtkunst" als ein Selbstgespräch aufzufassen, denn auch Biermanns eigenes Werk ist nicht frei von Didaktik („Kluge Kinder sind wir lange"), Kommentaren zur Weltgeschichte („Laß das: uns die Welt verklaren ...") oder „allgemeine(n) / Kalte(n) Welterlösertränen". Auch das Lachen, das am Schluß empfohlen wird, kam bei ihm gerade in den vorangegangenen Jahren viel seltener als das Heulen vor. Um aber die Leser zu narren, die ihn eventuell nach der Lektüre von „Dichtkunst" auf die eine Haltung festlegen wollten, ließ er im selben Kapitel „Ein Gedacht (!) über die Grenzen der Vernunft" abdrucken, in dem er sich mit Goyas Radierung „El sueño da la razon produce monstruos" [Der Schlaf der Vernunft gebiert Ungeheuer] auseinandersetzte. (Vgl. Günter Kunerts eigenes Gedicht über dasselbe Kunstwerk – auch Kunert hat eine Vorliebe für „Gedachte".)

Der Prosatext, geschrieben für das „Nürnberger Bardentreffen" im August 1986 (97 ff.), handelt von dem Begriff „Liedermacher" und der Praxis derer, die zu dieser Zunft gehören. Biermann erzählt, er habe diesen Begriff um 1960 geprägt, weil es „im deutschen Sprachgebrauch kein lebendiges Wort für diese Art komplexer Produktion" gegeben habe. Hier verwendet er bewußt das Adjektiv „komplex", denn es soll ein Denkzettel für diejenigen sein, die seine Arbeit unterbewerten. Aus seiner Sicht ist es ein schweres Handikap, ein *deutscher* Liedermacher zu sein, weil der „Hochmut gegen die niederen Künste" in Deutschland Tradition habe. Die Kollegen, die er aufzählt, kommen folgerichtig alle aus anderen Ländern, u. a. aus den

USA (Big Bill Broonzy, Woody Guthrie, Bob Dylan), der Sowjetunion (Bulat Okudshava, Wladimir Wyssotskij), Frankreich
(Georges Brassens) und Griechenland (Dionysios Savopoulos).
Voller Neid blickt er etwa nach Frankreich, wo die „poète-chan-
teurs" nicht so traditionslos dastehen wie die Deutschen. (Es
kann sein, daß dieser Neid den Blick trübt, denn das französische Chanson hat laut Dietmar Rieger zwar „im realen Gat-
tungssystem einen wichtigen Platz", doch das ändere nichts an
seiner „traditionellen Außenseiterposition" bzw. „poetologi-
schen Pariastellung". Vgl. D. R., 1987, 432.) Die ganze Rede ist
derart von Minderwertigkeitsgefühlen oder zumindest einem
starken Bedürfnis nach Anerkennung geprägt, daß einem dämmert, wie sehr Biermann als *Künstler* ernst genommen werden
will. Rein zahlenmäßig hat er zweifellos unvergleichlich mehr
treue Leser/Hörer als irgend ein zeitgenössischer deutscher Lyriker, aber diese Art von Zuspruch scheint ihm nicht (mehr) zu
genügen. In seiner Laudatio zur Verleihung des Hölderlin-Prei-
ses (1989) sprach Marcel Reich-Ranicki vom mangelnden Interesse der (deutschen) Germanisten an Biermanns Lyrik, und er
erklärte dazu: „Meist sieht man in ihm nicht einen Lyriker, sondern einen vielseitigen Kleinkünstler." Die Art und Weise, wie
Reich-Ranicki dem entgegenzuwirken versuchte, war allerdings
nicht unbedingt im Sinne des Preisträgers: „Wolf Biermann hat
eine Anzahl von Gedichten geschrieben, die auch ohne Musik
und ohne seine Vortragskunst ihre Wirkung keineswegs verfeh-
len – mehr noch: die ihn als einen unserer originellsten Lyriker
dieser Jahre ausweisen." Ist das nicht eine neue Manifestation
des „Hochmuts gegen die niederen Künste"? Da man nicht auf
zwei Hochzeiten tanzen kann, wird sich Biermann auf die Dauer
entscheiden müssen, ob er Gegenstand öffentlicher Aufmerksamkeit bleiben oder Objekt literaturwissenschaftlicher For-
schung werden möchte. Um letzteres zu erreichen, würde er sich
in verstärktem Maße (es gibt neuerdings sowieso die ersten Anzeichen dafür) einer eher hermetischen Sprechweise bedienen
müssen. Ist es aber vorstellbar, daß eine größere Anzahl von
Menschen jahraus, jahrein in einen Konzertsaal strömen würden, um (bei allem Respekt) etwa einer Lesung von Paul Celan

beizuwohnen? Die Zeit wird lehren, ob Biermann mehr an einem Ehrenplatz im Dichterhimmel (oder prosaischer gesagt: in Reclams *Deutsche Dichter der Gegenwart*, wo er fehlt) oder an der Resonanz beim – relativ – großen Publikum liegt. Vor einem solchen Dilemma stünden sicherlich nicht wenige seiner Schriftsteller-Kollegen mit dem größten Vergnügen.

Wie derzeit auf der LP *Hälfte des Lebens* beschäftigt sich Biermann in *Affenfels und Barrikade* mit den Werken anderer Autoren. (Bereits in *Verdrehte Welt* legte er Bearbeitungen von Gedichten von Pope, Clément, Aragon und Apollinaire vor, und die Vermittlerrolle zwischen Frankreich und Deutschland läßt einen unwillkürlich an seinen früheren Förderer Stephan Hermlin denken, der in schwieriger Zeit Ähnliches betrieb. Als Biermann in „Dichtkunst" den Vers „Sing uns blaue Apfelsinen" dichtete, dachte er vielleicht an den Vers „La terre est bleue comme une orange" des Surrealisten und Résistance-Mitglieds Paul Éluard.) Der Dialog mit den Dichtern anderer Zeiten und Länder scheint weniger vom Ästhetischen als vom Thematischen auszugehen, wenn auch die Freude am Spiel mit der Sprache unübersehbar ist: Biermann empfindet etwas und erkundigt sich danach, wie seine Vorgänger diese oder jene Empfindung in lyrischer Gestalt ausgedrückt haben. In diesem Zusammenhang ist eine „Empfindung" übrigens nicht als etwas ausschließlich Privates aufzufassen. Das, was in deutscher Sprache formuliert wird, soll keine wortwörtliche Übersetzung sein, sondern ein eigenständiges Gedicht. So deckt sich das Liebeslied „Welke Blätter" (62 f.) beispielsweise im großen ganzen mit Jacques Préverts „Les Feuilles mortes", doch der kleine Zusatz „weg damit!" verwandelt die melancholische Sehnsucht des Originals in eine mit Aggressivität durchmischte Trauer (à la „Eins in die Fresse, mein Herzblatt"). Biermanns „Der Deserteur" (154 f.) ist auch aggressiver als Boris Vians während des Algerien-Krieges verbotenes Lied „Le Déserteur". Das deutsche Lied kombiniert Elemente aus Vians Urfassung und der abgemilderten zweiten Fassung (vgl. Rieger, 1987, 386 ff.) und verwendet derbe Reime, die bei Vian nicht vorkommen, z. B. „Merde/Erde", „weiß/Scheiß". Zur Zeit der Ehekrise schweift der Blick des Dichters mehr als sonst in die Ferne, und er ruht u. a. auf Werken von Nils Ferlin (Schweden), C. G. Rossetti (England), W. B. Yeats (Irland) und E. E. Cummings (USA). In ihrer Gesamtheit sind die ‚Ehekrach-Lieder‘ schwer zu verkraften, aber ein Werk wie „Ach die erste Liebe" (nach Okudshava) vergißt man nicht so schnell. (Das gilt auch für „Der Schläfer im Tal" nach Rimbauds „Le dormeur du val" – ein Lied, das eher aufrüttelt als manche plakative Friedensballade –, und die Tirade in Villonscher Manier „Gegen die Verleumder" ist ein Wunder an deftiger Sprachgewalt: Nach der Lektüre „fühlt man sich", wie Biermann sagen würde.) In letzter Zeit befaßt sich der Liedermacher mit Shakespeare, und ein Privatdruck mit seiner Übertragung der Sonetten Nr. 60, 66, 73, 76 und 130 ist erschienen. Es ist immer ein Wagnis, sich an einem Klassiker zu messen, aber in diesem Fall können sich die Ergebnisse durchaus sehen – und lesen – lassen. Es ist noch nicht klar, inwiefern dieses poetische Unternehmen einen langsamen Übergang von den „niederen" Künsten zu den „höheren" signalisiert, aber am nötigen Ehrgeiz wird es dem Nachgeborenen auch in Zukunft bestimmt nicht fehlen.

In *Affenfels und Barrikade* trifft man nicht nur auf Fremdes, sondern auch auf Ureigenstes, und zwar in Gestalt der beiden Bekenntnisdichtungen „Vom Lesen in den Innereien" und „Confessio". Im fünfzigsten Lebensjahr blickt Biermann zurück, und er zieht eine vorläufige Bilanz. Es entsteht das Bild eines Individuums, das einerseits nicht gegen Irrtümer gefeit ist, andererseits unbeirrt den eigenen Weg geht. Bei der „Confessio" ist es vor allem der Verlust der Heiterkeit, der zur Sprache kommt, und dieser Verlust wird unmittelbar mit dem Wechsel von Ost nach West in Verbindung gebracht: „Das Zwielicht hat mich so verrückt gemacht / Im Dunkel drüben war mir alles sonnenklar / Wir gingen aufrecht, habn uns schiefgelacht ... Versaut von innen ist der kleine Straßenköter / Der immer munter sang in mir, sprang aus der Brust / Und strolchte fröhlich rum – jetzt krümmt er sich, geifert, knurrt ..." (158) Aus dem äußeren Käfig ist ein innerer geworden, dessen Gitterstäbe ungleich stabiler sind. Die „gute alte schlechte Zeit" (160) ist unwiederbringlich verloren, und in der neuen paart sich Sorge um die „Hölle" Europa mit dem Kummer des Verlassenen („Ach, mein Liebchen liebt ein schönres Exemplar" – 159). Biermann versucht, sich Mut zuzusprechen – „Nur wer sich ändert, bleibt sich treu" (ebd.) – aber der Ausgang der ungewohnten Selbsttherapie bleibt noch ungewiß. Ein Lied aus dieser Zeit heißt bezeichnenderweise „Mir selber helfen kann ich nicht" (95 f.). Die Ich-Erkundungen in „Vom Lesen in den Innereien" (das Motiv entstammt dem französischen Volkslied um König Renaud) beginnen mit einem absoluten Höhepunkt und dem darauffolgenden Sturz. Der geschilderte Zenit ist der Tag nach dem Kölner Konzert im November 1976, als der Ruhm noch „fernsehfrisch" war und die Rückkehr in eine – im Aufbruch begriffene? – DDR bevorzustehen schien: „da war ich froh wie vordem nie / nie wird es so mehr sein" (23). Auch wenn man von der hohen Warte der Politologie bzw. Zeitgeschichte aus sagen kann, daß die damaligen Wunschvorstellungen jeder Grundlage entbehrten, ändert das nichts an der Tatsache, daß sie für den gerade in die Öffentlichkeit entlassenen Liedermacher reelle Gewalt besaßen. Im geschilderten West-Alltag wird die utopische Botschaft auf eine Ware unter unzähligen anderen reduziert: „... lebe bequem von unbequemen / wahrheiten. friste mein' lebensunterhalt / als menschheitsretter ganz gut gegen gage / mietkünstler bin ich geworden, und krank / vor kindersehnsucht nach kommunismus / bin drachentöter, bewaffnet mit leier / und lachendem konto bei der deutschen bank" (ebd.). Anders als beim ‚amerikanischen' Brecht (vgl. „Hollywood" und „Liefere die Ware!") gelingt die Vermarktung, doch ein Gefühl der Befriedigung stellt sich nicht ein. (Die zynischen Journalisten, die Sprüche wie „der rote Barde in seiner roten Villa" verkaufen, sind entweder nicht imstande, in die Vorstellungswelt eines Biermann einzutreten, oder sie sehen bewußt davon ab.) In „Vom Lesen in den Innereien" geht der Dichter mit sich selbst ins Gericht, und die Kritik ist außerordentlich schonungslos. Es gibt wenig, was nicht in Frage gestellt wird. Die politischen Lieder aus den ersten West-Jahren werden im nachhinein abgelehnt („die musen stöhnten" – 24), der Nutzen des jahrelang besungenen Weltbildes wird angezweifelt („was nützt alles marxen, alles blochen" – ebd.), das Politisieren skeptisch beurteilt („in

weltpolitik war ich immer wie du / der kleine moritz ..." – 25),
die ,Heldenrolle' in der DDR relativiert („... mit halbem wissen / hab ich paar wahrheiten ausgeplappert" – 27) und sogar das
Lügen eingestanden: „... auch habe ich / (und wahrheitsbesessen,
wie lügner es sind) / kreuzbrav zugunsten der wahrheit gelogen"
(25). Was bleibt nach diesem Kahlschlag? Einer, der von den
„toten" in seinem Rücken (27) angetrieben und immer noch vom
Schicksal des Vaters heimgesucht wird: „und weil der kein grab
hat, treibts mich hier um" (30). (Selbst als „Dingsda"-Gast redete
er vom Tod des Vaters in Auschwitz, was dem ahnungslosen
Quizmaster fast die Sprache verschlug.) Zu einer Zeit, als von der
„Gnade der späten Geburt" gefaselt wird, kommt es dem Leser
fast so vor, als litte Biermann unter dem *Fluch* der späten Geburt:
Wäre er ein Zeitgenosse Brechts gewesen, so hätte er den endgül-
tigen Zusammenbruch von allem, was er zeitlebens erhofft hat,
nicht mit ansehen müssen. Es ist wohl kein Zufall, daß auf den
,rechtzeitigen Abgang' des Augsburgers in der „Confessio" hingewiesen wird.

Es ist schwer zu ermessen, inwiefern das Eintauchen in die
„Innereien" eine kathartische Wirkung nach sich gezogen hat,
denn *Affenfels und Barrikade* enthält Verse, die auch der ,alte'
Biermann hätte dichten können (die Datierung der Werke wird
auch diesmal nicht angegeben). Täuschend einfache – und auch
sehr schöne – Gedichte, die von konkreten Beobachtungen ausgehen (z. B. „Apfel" oder „Ewiger Friede") stehen neben tagespolitischen Einmischungen der bekannten Art („General der
Guardia Civil", „Asyl für den Türken"). Das für Eva-Maria
Hagen geschriebene Lied „Die ausm Osten" ist eine ergreifende
Fortsetzung der „Ballade vom wiederholten Abtreiben" aus
Verdrehte Welt, und „Til gezeichnet Familienidyll" sowie
„Marie" spinnen in Anlehnung an die früheren „Willkommenslieder" die Familiengeschichte unter veränderten Umständen
weiter. Eine weitere (kritische) Hommage à Brecht ist das Gedicht „Berühmtes Kriegsphoto, später betrachtet", das im Stil
der *Kriegsfibel* die Frage stellt, was aus einem Rotarmisten
wurde, der den deutschen Faschismus mit besiegte („geriet der
danach ins GULAG? ..." – 153). Insgesamt begegnet man in

diesem Band einmal dem alten, einmal einem nicht ganz neuen Biermann: Der neue Leitspruch – „I'm on my way" (30) – ist im Grunde der alte. Er war schon immer unterwegs, was manche als „pubertär" verspottet haben. Das dürfte jedoch ein Mißverständnis sein. Die Flucht vor einer definitiven Festlegung der dichterischen Identität bzw. dem ‚normalen' Reifeprozeß rührt m.E. nicht zuletzt von der Angst vor der Verknöcherung her, und außerdem weiß der mit allen Wassern gewaschene ‚Entertainer', daß nur derjenige im Gespräch bleibt, der für eine Überraschung gut ist. Es ist verständlich, aber auch gewagt, wenn einer nach der Lektüre von *Affenfels und Barrikade* die „Wende vom Liedermacher zum ‚Dichter' " verkündet (so Gunter Grimm in der *StZ*, 1. 10. 1986). Die nächste Wende sollte eine Reaktion auf die deutsch-deutschen Ereignisse von 1989 sein, und die konnte keiner voraussehen.

Obwohl sich Biermann in der zweiten Hälfte der 80er Jahre im ‚Wartesaal' befand, sorgte er auch dort für Unruhe. Er sang in der Hamburger Vollzugsanstalt „Santa Fu" („Meine Familie kennt die Firma hier", betonte er), legte sich mit dem DDR-Staranwalt Wolfgang Vogel an (die Behauptung, dieser zweige sein Honorar vom „Kopfgeld" ab, mußte er widerrufen), diskutierte mit Peter Glotz von der SPD und ‚half' dessen Partei, indem er erklärte, er werde die Grünen wählen („die ja nicht mehr diese diffuse Salatfresserpartei von früher sind") und unterstützte die „Plakatgruppe", die gegen die Fusion von Daimler-Benz und MBB agitierte. Er stand auch der Grünen-Abgeordneten Antje Vollmer bei, die sich für einen Dialog mit der RAF einsetzte. In einem offenen Brief an Vollmer distanzierte er sich vom utopischen Träumen („Ohne irgendein religiös oder sozial oder rassisch konstruiertes Paradies im Kopf geht das große Morden offenbar nicht." – *KiG*, 197), aber er sprach – öffentlich – auch auf eine Weise mit den „RAF-Terroristen", wie nur wenige es getan hätten: „Für mich seid Ihr immer noch das, was Ihr sein wolltet: Kämpfer gegen das Unrecht. Aber Ihr fallt dem Unrecht in der Bundesrepublik schon längst nicht mehr in den Arm, Ihr geht ihm unfreiwillig zur Hand. ... Ihr revolutionären Spießer." (ebd., 199.)

Zu dieser Zeit entstanden auch Reden und Schriften, die Innenschau mit Weltbetrachtung verbinden. In den Münchener Kammerspielen hielt Biermann z. B. im November 1987 eine Rede „Über das eigene Land: Deutschland", die – ungewöhnlich für diese sonst sehr seriöse Vortragsreihe – auch Gesangseinlagen enthielt. Der Redner führte hier vor, wie man nicht nur die Sprachebenen, sondern auch die Anspielungsebenen mischen kann. Um das schwierige Verhältnis der Deutschen zu ihrem Heimatland zu beleuchten, sprach er nicht nur von Hölderlin und Heine („Der deutscheste aller deutschen Dichter, der Jude Heinrich Heine" – *KiG*, 235), sondern auch von seiner rational nicht erklärbaren Begeisterung für Boris Becker: „Warum freut's mich, wenn der ein As gegen irgendeinen netten Schweden landet." (238) Auch vom „Neid eines kleinen Deutschen" angesichts des instinktiven Patriotismus vieler US-Amerikaner erzählte er (ebd.). In dieser Rede wurde manches Versatzstück aus früheren Texten und Gesprächen wieder einmal verwendet, aber das ist weniger signifikant als die Tatsache, daß es ein Linker für nötig hielt, sich mit dem Wesen des Patriotismus zu befassen: „Grade wir Linken haben immer wieder das Nationale im Denken und Fühlen der Menschen wie eine Quantité négligeable behandelt." (249) (Vgl. die Kontroversen um Edgar Reitz' Fernsehserie „Heimat", die 1984 gesendet wurde.) Zu einer Zeit, als die westdeutschen Demoskopen wenig Interesse an der Deutschen Frage bzw. der DDR entdecken konnten, deutete Biermann das „Leiden der Ostdeutschen an der Teilung" als „eine verkappte Sehnsucht nach Freiheit" (247). Das mag banal klingen, aber im Jahre 1987 hoffte er noch, daß diese Freiheit im Rahmen einer sozialistischen Demokratie erstritten werden könnte: „Ich sehe im Traum einen Roten Stern, dessen fünf Ecken heißen Gorbatschow – Dubček – Rosa Luxemburg – Robert Havemann und Solidarność." (ebd.) Das ist letzten Endes das alte Bild aus „Enfant perdu" unter Hinzufügung der polnischen Arbeiter. Inzwischen wissen wir, daß nicht die Deutsche Frage, sondern der ‚dritte Weg' sich „wie ein Frühnebel in der Sonne" (ebd.) auflöste. Der Essay „Große Skepsis – Größere Hoffnung", der im selben Jahr wie die „Rede" entstand, gibt im

Hinblick auf die Geschichte der Sowjetunion genügend Gründe an, woran Perestrojka und Glasnost scheitern könnten, aber die Hoffnung erweist sich auch hier als stärker: „... lieber begeistert hoffen und wieder auf die Schnauze fallen, als tatenarm und gedankenvoll jammern." (*KiG*, 47.) Zwei Aspekte dieses Essays sind bemerkenswert, denn sie veranschaulichen den allmählichen Wandel in Biermanns Einstellung zum ‚real existierenden Sozialismus': Zum einen gelten die Ereignisse am 17. Juni 1953 nun als „Arbeiterrevolte" (beim Kölner Konzert wurde die mutmaßliche faschistische Komponente noch hervorgehoben), und zum anderen werden in der Sprache der Totalitarismus-Theorie die Ähnlichkeiten zwischen dem Stalinismus und dem Nationalsozialismus angedeutet. Da ist die alte Formulierung „Ich lieg in der bessren Hälfte / Und habe doppelt weh" (*MME*, 77) sehr weit weg. Ebenfalls am Horizont verschwindend war damals das Selbstbild des Dichters als „preußischer Ikarus". Das ist das Thema der Rede „Der Sturz des Dädalus", die 1987 im Rahmen der Reihe „Berliner Lektionen" im Westberliner Renaissance-Theater gehalten wurde. War es in der Chausseestraße das Bild von „Ikarus Superstar", das den Verbotenen faszinierte, so fesselt ihn in Altona eher Dädalus' „Sturz ins banale Weiterleben" (*KiG*, 292). Im Nachkriegsdeutschland spürt er moderne Ausprägungen des griechischen Mythos auf: Ikarus = Rudi Dutschke oder Ulrike Meinhof, Dädalus = Horst Mahler oder Peter-Jürgen Boock. (Es irritiert den Leser übrigens, daß die Namen Meinhof und Boock im Druck falsch wiedergegeben werden.) Dem Liedermacher blieb es vorbehalten, beide Rollen in einem kurzen Menschenleben zu spielen. Den Sinn der ganzen Rede drückt ein einziger kurzer Satz aus: „Das Gelingen ist langweilig, das Scheitern interessant." (304) Mit anderen Worten: Da Biermann wider Erwarten nie zum Märtyrer wurde, begann die Aura um seine Person zu verblassen. Er, der so lange im Mittelpunkt gestanden hatte, mußte sich mit einer Umsiedlung an die Peripherie – den Stammplatz der meisten Kulturschaffenden im Westen – abfinden. Dieses Thema wurde auch in anderen Werken angeschnitten; daher ist es eigentlich mehr die Form der Berliner Rede, die Wichtiges über Biermann aussagt. Hier redet nicht ein „Hamburger Fischkopf", wie ihm der Schnabel gewachsen ist, sondern es doziert ein – autodidaktischer – Poeta doctus, der bei aller Selbstironisierung als ein solcher akzeptiert werden möchte. Das Nacherzählen der Mythen, das Zitieren aus Ovid und die ausführliche Besprechung eines Brueghel-Bildes weisen alle in diese Richtung. Ein Vergleich des Erstdrucks mit der zweiten Fassung läßt auch erkennen, wieviel Mühe auf die Überarbeitung verwendet wurde. (Ein kleines Beispiel für – durchaus berechtigten – Künstlerstolz: In der Urfassung fehlt noch der Hinweis, daß die deutsche Version von W. H. Audens Gedicht „Musée des Beaux Arts" von Biermann selbst stammt.)

Für solche Ausflüge in die höheren Sphären blieb im annus mirabilis 1989 kaum noch Zeit übrig. Der Dichter erschien wieder im Habitus des streitbaren Liedermachers und rückte, wenn auch nicht in den Mittelpunkt, so doch ein wenig von der Peripherie weg. Aus der 1988er Tournee mit den „glasnostalgischen" Liedern von der Platte *VEBiermann* (vgl. Kapitel I) wurde ein angemessenes Präludium zum ersten DDR-Auftritt seit dreizehn Jahren. Zunächst kam jedoch der Publizist Biermann an die Reihe. (Dafür entdeckte Noch-Generalsekretär Erich Honecker seine poetische Ader. Am 16. August dichtete er in Erfurt: „Den Sozialismus in seinem Lauf halten weder Ochs noch Esel auf.") Als die Ungarn Ende April den Abbau der Befestigungen an der Grenze zu Österreich vorbereiteten, sang der Liedermacher im Pariser Goethe-Institut über Ikarus und Dädalus. Als viele DDR-Bürger im August in die BRD-Botschaften in Budapest, Prag und Warschau strömten, stellte er das Programm zur Herbst-Tournee „1789" zusammen. Als das Neue Forum im September die Zulassung als politische Vereinigung beantragte, sang er in Frankfurt am Main. Dieter Römer schrieb nach dem Konzertbesuch: „Stellenweise schimmern an diesem Abend der alte Scharfsinn, die gnadenlose Wortgewalt und die kraftvolle Poesie seiner Texte auf, eine Kombination, der man sich nicht nur schwer entziehen kann, die ihn auch jahrelang über viele andere Liedermacher in der Bundesrepublik erhoben hatte. ... Und trotzdem drängt sich manchmal das Gefühl auf, Wolf Biermann habe es so richtig satt und könne sich nur von dem Metier, auf das er festgelegt ist, noch nicht lösen." (*FAZ*, 26. 9. 1989.) Vom hier vermuteten Überdruß war ab Oktober nichts mehr zu spüren, oder, anders gesagt, die aufgestauten Kräfte wurden freigesetzt und konnten ans Werk gehen.

Am 18. Oktober löste Egon Krenz den unter Beschuß geratenen Honecker ab, und bereits am nächsten Tag veröffentlichte Biermann in der *taz* einen Kommentar zu diesem Wechsel. Schon der Titel signalisierte, daß sich kein abgeklärter Weiser zu Wort meldete: „Das ewig lachende Gebiß" (mit dazugehörigem Foto der Mundpartie). Wie in alten Zeiten (vgl. „Das macht mich populär", *FmG*, 47 ff.) zieht der Polemiker alle Register: „Krenz, der versoffene FDJ-Veteran, der Jubelperser des Politbüros, der optimistische Idiot … das ewig lachende Gebiß." Statt zu taktieren, auf eine baldige Rückkehr spekulierend, versprüht der Gast-Kolumnist sein „Gift". Man erinnere sich, daß manche ehemaligen DDR-Kollegen vor derartigen Wutausbrüchen Angst hatten, weil sie fürchteten, ihre eigene Politik der kleinen Schritte könnte dadurch zunichte gemacht werden. Obwohl Biermann oft beteuert, wie sehr er auf die „sanfte Gewalt der Vernunft" vertraut, geht sein Temperament manchmal mit ihm durch. Obgleich er wußte, daß er in der DDR dank seiner Familiengeschichte bis zu einem gewissen Grad geschützt war, reicht das als Erklärung für sein waghalsiges Vorpreschen nicht aus. Auch ein Reiner Kunze blickte durch und hatte eine proletarische Musterbiographie – wie der Schriftsteller und Bürgerrechtler Jürgen Fuchs. Daß einer von diesen beiden ein ähnliches Anti-Krenz-Pasquill verfaßt hätte, ist jedoch kaum denkbar. Auch die einstige Entscheidung des Philosophiestudenten, Liedermacher zu werden, muß wohl – jenseits von Publikums- und Rezeptionsfragen – nicht zuletzt im Lichte seines Naturells betrachtet werden. Die Verknüpfung von zeitweiligem Aufbrausen mit skeptischer Zurückhaltung ist zwar keine unbekannte Erscheinung in Deutschland insgesamt, aber bei den Schriftstellern tritt sie eher selten auf. (Das Spitzwegsche Porträt des „armen Poeten" enthält mehr als ein Körnchen Wahrheit.) Anders als in den dreißig Jahren zuvor herrschte im Herbst 1989 eine Konstellation vor, die den ‚Rufer in der Wüste' (der als schrullig abgetan werden konnte) zum Volkstribun werden ließ. Das Problem war dabei, daß ihn eine Mauer von seinem Volk trennte, und dieses Volk war inzwischen imstande, sich selbst zu ermutigen.

Bei der Riesendemonstration auf dem Ostberliner Alexanderplatz am 4. November – zu der Biermann nicht einreisen durfte (der neue SED-Chef war anscheinend beleidigt) – sah man viele Anti-Krenz-Plakate, die der *taz*-Polemik an Bissigkeit in nichts nachstanden. Nicht Biermann sang vor den Hunderttausenden, sondern Kurt Demmler. Nicht die Schreib-Kollegen Christoph Hein, Stefan Heym und Christa Wolf erinnerten die Versammelten an Biermann, Loest und die anderen, „die nicht mehr bei uns sind", sondern der Biologe Jens Reich vom Neuen Forum (Abdruck der Reden in der *taz*, 9. 11. 1989). Biermann war nur insofern bei diesem überwältigenden Ereignis präsent, als Exemplare seines neuen Liedes „Wir hatten es schon halb vergessen" verteilt wurden (vgl. *KiG*, 104). Dieses Lied erschien auch am Tag der Demonstration in der *taz* wie auch in der *Zeit* (47/1989). Am Vorabend der Kundgebung tauchte der Noch-Verbotene bei Lea Rosh in der NDR 3-Talkshow auf und bezeichnete Krenz als die „fleischgewordene Aufforderung zur Republikflucht", und im November sang er auch die neue „Ballade von den verdorbenen Greisen" im West-Fernsehen, aber das war alles wohl nur ein halber Trost. Krenz konnte noch die Einreise zu einem Konzert bei Pfarrer Eppelmann am 14. November verhindern, aber bald danach war der Gang der Dinge nicht mehr zu bremsen. Aber kam für Biermann nicht sowieso alles zu spät – gar ein Vierteljahrhundert zu spät? Das könnte man nach der Lektüre der im November gedruckten Zeitungsbeiträge meinen.

Im Brief an Sarah Kirsch, der zwischen dem 4. November und der Maueröffnung fünf Tage später entstand („Mir lachte das Herz, und es gab mir einen Stich" – *Zeit*, 47/1989) spricht Biermann – nachdem er die Mühen seines West-Exils in den letzten Jahren eher heruntergespielt hatte – wieder als „Exilierter". Sein Kummer: „Die brauchen mich zum Glück gar nicht mehr, aber ich brauche, leider! sie zu meinem Glück." Sein Zorn richtet sich gegen die Kollegen, die als Freiheitshelden dastehen, obwohl

„die einfachen Leute in der Friedensbewegung, die kirchlichen und anderen Oppositionellen" ihnen das Reden auf dem Alex ermöglicht hätten. (Sogar in der Springer-Presse war Heym damals der „Nestor" der Bewegung, Christa Wolf eine potentielle Präsidentschaftskandidatin. Niemand sprach davon, daß Biermann die Rolle eines Havel in der DDR spielen könnte.) Anders als Heym, Hein, Heiner Müller, Hermann Kant, Klaus Höpcke oder Hermlin („Honeckers welker Busenfreund") wird Christa Wolf – obwohl auch sie den „Arierpaß für Westreisen [!] in der Tasche" hatte – verschont: „Ich liebe sie und bewunderte sie immer." In diesem Brief finden sich auch zwei Prophezeiungen, die sich als richtig erwiesen haben, nämlich, daß Krenz bald seinen Hut nehmen würde, und daß Biermanns „deutschdeutsches Exil" nicht zu Ende sei, sondern „womöglich erst jetzt richtig" beginne. Der Schlußsatz zeigt auch, daß das wiederholte Abschiednehmen von der DDR in den 80er Jahren nicht recht gelingen konnte, weil es auf die rationale Ebene beschränkt blieb: „Das Herz wird nun doch überrumpelt." Der Brief an „Max von der taz" („Und als ich an die Grenze kam ...", *taz*, 11.11. 1989) zeugt auch von den gemischten Gefühlen des Schreibers. Am Anfang heißt es zwar, „Halleluja! Die Mauer kippt", aber es folgen die Worte, die als Reaktion auf den Mauerfall bevorzugt nachgedruckt werden sollten: „Gewiß, mir lacht das Herz, aber ich muß auch weinen. Weinen vor Freude darüber, daß alles so leicht und so schnell ging. Und weinen muß ich vor Zorn, weil es so elend lange gedauert hat. Mir geht plötzlich alles zu flott, und es hat mich zuviel Lebenszeit gekostet." Hier erscheint die DDR als ein „monströses Gefängnis" (1987 kritisierte Biermann noch Helmut Kohl, weil dieser die DDR-Gefängnisse als „Konzentrationslager" bezeichnet, sein Innenminister die *ganze* DDR ein KZ genannt hatte – vgl. *KiG,* 34 f.), doch der Grundtenor des Textes ist eher elegisch als zornig. Statt auf Rache zu sinnen, wie man es hätte erwarten – und verstehen – können, kreisen die Gedanken des Liedermachers um den ersten Auftritt in der ‚neuen' DDR, und er gibt sich dabei keinen Illusionen hin: „Wir werden einander gespenstisch vertraut sein und sind uns dennoch fremd geworden."

Die letzte Schrift, die Biermann vor der Rückkehr in die alte Heimat vorlegte, heißt „Wer war Krenz?" (*taz*, 18.11. 1989). Der Titel stammt nicht vom Verfasser: Er erschien auf einem Plakat am 4. November. (Krenz trat erst am 6. Dezember zurück!) Der Artikel weist hie und da noch (z. T. meisterhafte) polemische Züge auf, aber Biermann hatte mittlerweile sein Mütchen gekühlt. (Es ist z. B. bezeichnend, daß nun nicht der „Säufer" Krenz, sondern die „Selbstbesoffenheit des Apparatschiks" im Vordergrund steht.) Angesichts der Erfolge der Volksbewegung kann er diesmal souveräner über die „kleinen und großen Fürsten des Feudalsozialismus" sprechen. Ihnen hält er einen kurzen Vortrag über die Umgangsformen in einer liberalen Demokratie („Die wendefreudigen Stalinisten ... werden lernen müssen, den Zweifel, den Widerspruch, die Kritik und auch den öffentlichen Spott zu ertragen."), wobei Helmut Kohl für sein „Stehvermögen" und seine „Dickfelligkeit" – noch – gute Noten bekommt. Zwanzig Jahre zuvor hatte es noch geheißen: „... Freiheit von Freiheitsdemagogie / ... Auch Liberale wer'n wir befrein / ... Auf die Pfoten haun / wollen wir das fette Bürgerschwein ..." (*FmG*, 91 f.) – mehr als eine kleine Wende also. Biermann fordert die Rehabilitierung Havemanns – die bald darauf erfolgte – und ortet die jungen DDR-Revolutionäre „im Kontinuum einer geistigen Opposition, die ohne Robert Havemann nicht denkbar wäre". Biermann scheint hier noch an die Möglichkeit eines ‚dritten Weges' in der DDR zu glauben. (Vgl. seine dementsprechende Antwort auf die *Zeit*-Umfrage „Ist der Sozialismus am Ende?" in Nr. 40/1989). Das kann er, weil er die DDR im internationalen Maßstab „trotz aller Mißwirtschaft" für „ein reiches Land" hält. Der Optimismus in „Wer war Krenz" sollte im Frühjahr verfliegen und Bitterkeit weichen, aber im Dezember ging es erst darum, das alte Trauma „Ausbürgerung" durch Grenzübertritt und Tuchfühlung mit dem ‚aufrührerischen Volk' – dessen Beweggründe im Lichte der Begeisterung des Liedermachers etwas idealisiert wurden – gründlich zu bewältigen.

Am 1. Dezember brachte die ARD-„Tagesschau" als letzte Meldung einen Bericht ihres Korrespondenten Claus Richter über Wolf Biermanns Einreise in die DDR. Richter betonte, es gehe dem Liedermacher nicht um „Abrechnung", sondern „um die große Chance einer erneuerten DDR". An der Grenze sagte Biermann ins Mikrofon, das Ausbürgern sei „politisch gesehen, eine noch größere Verletzung der Menschenrechte" als das Einsperren. Und menschlich gesehen? Wahrscheinlich wollte er in diesem aufregenden Moment damit sagen, daß auch er unter dem Unrechtsregime der SED gelitten habe, aber man fragt sich, wie ehemalige Insassen von DDR-Gefängnissen diese Aussage aufgenommen haben. Bei einem Treffen mit Biermann und Jürgen Fuchs sagte Kulturminister Dietmar Keller (SED), über Kunst habe „einzig und allein" das Volk zu entscheiden, und er nannte die Ausbürgerung einen „Fehler". (Das sollte auch der SED-Chefideologe Kurt Hager im Januar vor dem Untersuchungsausschuß der Volkskammer zu Korruption und Mißbrauch tun.) Der Grenzgänger aus Hamburg ließ seinerseits keinen Zweifel daran, daß es sich – aus seiner Sicht – bei dieser Einreise um eine Heimkehr handelte: „Ich kann es kaum erwarten, mich in meinem eigenen Land zu tummeln." (*taz*, 2. 12. 1989.) Sogar im *Neuen Deutschland* stand ein Artikel mit der Überschrift „Wolf Biermann – warum nicht?" (1. 12. 1989), in dem der Verfasser Gerd Prokot seinen Lesern zu erklären versuchte, warum ein Mann, der „auf gröblichste Weise Personen an der Spitze unseres Staates beleidigt hat", einreisen dürfe. (Die Genehmigung werde „nicht bei jedem auf Verständnis stoßen", hieß es im alten *ND*-Stil). Es fiel dem Journalisten nichts Besseres ein, als auf Biermanns „antifaschistische Grundhaltung" hinzuweisen. Das war doch nicht mehr dasselbe Organ, das 1965 die Anti-Biermann-Polemik bei Klaus Höpcke bestellt hatte.

Das Konzert in der eiskalten, von der Akustik her völlig ungeeigneten Messehalle 2 in Leipzig wurde vom DDR-Fernsehen live übertragen. (Biermann freute sich, daß er endlich „in der richtigen Glotze" zu sehen war.) Wie schon 1976 ließ die ARD die West-Zuschauer etwas warten: Ihre Aufzeichnung des Konzerts lief von 23.50 bis 3.05 Uhr. Die Ansagerin berichtete, ihre DDR-Kollegin habe nicht geglaubt, daß sie „ein Konzert von

Wolf Biermann" ansagen würde. Die ARD ihrerseits, die jahrelang für solche Auftritte keine Sendezeit zur Verfügung gestellt hatte, bat um Verständnis dafür, daß der amerikanische Spielfilm „Der Drachentöter" [!] entfallen müsse. Dann war es soweit: Ein etwas schüchtern wirkender und sichtlich bewegter Sänger erschien mit der Gitarre und einer roten Nelke auf dem Bildschirm. Über drei Stunden lang – ohne Pause, weil das Publikum keine wollte – lieferte er eine Melange aus Selbstdarstellung, Lagebericht und Zukunftsvision.

Den Anfang bildeten das jiddische „Lied des Bundes" und die deutsche Bearbeitung „Mag sein, daß ich irre". Diese beiden Lieder, die im *Preußische Ikarus* abgedruckt wurden, sollten wohl für einen Abschied von der alten Gewißheit sowie ein Bekenntnis zum jüdischen Kulturerbe stehen. Danach sprach Jürgen Fuchs von der Notwendigkeit eines von Zensur und Pressionen freien Kulturlebens, und er erinnerte auch an die vielen ausgebürgerten Autoren. Biermann konnte nicht darauf verzichten, Fuchs' Worte mit Gitarrentönen zu unterlegen, was nicht zum Ernst seines jüngeren Freundes paßte. Auch als der DDR-Liedermacher Matthias Goernadt als „Begrüßungsgeschenk" einen Brief von Künstlern, Rocksängern und Wissenschaftlern vorlas, die den Einlaß Biermanns gefordert hatten, schien der Hamburger nicht bei der Sache zu sein. Sobald Goernadt (der u. a. von der „Suche nach lebbaren Alternativen gegen die Träume des Herrn Kohl" redete – durchaus im Sinne des Adressaten also) fertig war, begann Biermann ohne Übergang zu singen. Man hatte den Eindruck, als wollte er – abgesehen von einem improvisierten Duett mit Eva-Maria Hagen – den Abend allein bestreiten.

Nach dem „Preußischen Ikarus" kam die alte „Populär-Ballade" als eine Art Vorstufe zur darauffolgenden „Ballade von den verdorbenen Greisen" („eine Art Uraufführung vor lebendigen Menschen"), die zum Höhepunkt des Abends wurde. Hier fand die Verbindung von „Familienalbum" und „Geschichtsbuch" statt, die Biermann schon immer angestrebt hat, bloß diesmal nicht beim Sänger selbst, sondern beim Publikum: Biermann lieferte quasi nur die Stichworte. Ständig durch Rufe, Beifall und rhythmisches Klatschen unterbrochen, bat er „aus politischen Gründen" um mehr Disziplin, aber er mußte kapitulieren: „So ein Lied kann man nicht singen!" Das hieß eigentlich, so ein Lied konnte er nicht kunstvoll interpretieren, wie er es gerne gewollt hätte. Das ist kein unwesentliches Detail, denn daran kann man erkennen, daß der Künstler Biermann auch mitten in der jahrelang herbeigesehnten Revolution seine Identität nicht verlieren wollte. Auch da ist die Affinität zu Brecht nicht zu übersehen.

Zum ‚Lagebericht' gehörten neben der „Greisen-Ballade" auch das „Berliner Liedchen", „Verkauft uns nicht" (vom fiktiven DDR-Arbeiterdichter Paul Kunkel), „Wir hatten es wohl schon halb vergessen" (mit dem Refrain aus „In Prag ist Pariser Kommune") und „Michail Gorbatschow". Im ‚Hetzlied' über die Genossen Krenz, Hager, Mielke, Schnitzler und Honecker (der Sänger wird vielleicht mit seiner Behauptung recht behalten, diese würden nur im „Bernstein der Balladen" in Erinnerung bleiben) wird wie oft zuvor polemische Systemkritik mittels Personalisierung betrieben, und das kam beim Publikum gut an, außer im Refrain, der für Gnade plädiert (die Worte „Nicht Rache, nein Rente!" ähneln dem Titel von Simon Wiesenthals Autobiographie, nämlich *Recht, nicht Rache*) und in der letzten Strophe, in der „ein Rest von Respekt" vor dem antifaschistischen Häftling Honecker übrigbleibt. Vielen Leipzigern war offensichtlich nicht nach Versöhnung zumute, und Biermann mußte erfahren, wie schwer es sein kann, als Außenstehender die Bedürfnisse von Aufgebrachten einzuschätzen. Auch ein Lied wie „Wir hatten es schon halb vergessen" (später in „Ich hatte es auch schon halb vergessen" umbenannt) löste keine große Begeisterung aus, denn darin wird neben der „rotgetünchte(n) Tyrannei" auch „unsre Feigheit und Kriecherei" kritisiert. Insgesamt schienen die aktuellen Lieder zu differenziert zu sein, zu einem Zeitpunkt, als alles noch im Fluß war. (Das galt selbst für das stellenweise geniale „Gorbi-Lied" mit Versen wie „Sonst gabs Kanonen statt Butter / Jetzt jibt et Freiheit statt Buttaa".) Der alte Traum von der Pariser Kommune, der sowohl im „Berliner Liedchen" als auch in den drei Frankreich-Liedern

„Mainacht in Paris", „Le Temps des cérises" und „Kaminfeuer in Paris" präsent war, schien auch nicht vom Gros des (jungen) Publikums mitgeträumt zu werden. Beifall vor und nach dem „Zeigen" (ein Lieblingsausdruck Biermanns in den letzten Jahren) gab es bezeichnenderweise nur für die beiden Evergreens „Der Hugenottenfriedhof" und „Ermutigung".

Biermann dankte den Leipzigern zwar für die Gelegenheit, Lieder zur Unterstützung einer wirklichen Revolution zu schreiben, aber er sagte auch, sie hätten ihn bei der Arbeit „gestört". (Das klang ironisch, war es aber nur bis zu einem gewissen Grad.) Er beschäftige sich „eigentlich" mit der Übersetzung von Shakespeares Sonetten. Er hielt es für nötig, ein derartiges Unternehmen in so bewegten Zeiten zu rechtfertigen: „Wir müssen auch diese andere Seite des Lebens festhalten, nicht nur die Bonzen auf den Rüssel hauen. ... Das ist nicht unser ganzes Menschenleben." Welche „andere Seite" ist damit gemeint? In der Welt, die Shakespeare im 66. Sonett schildert, unterliegen Verdienst, Glaube, Ehre, Weisheit und Güte den dunklen Kräften (z. B. der „Obrigkeit", die nicht zuletzt die Kunst knebelt). In diesem Menschenleben gibt es nur noch einen Halt, nämlich die Liebe. Es ist wahrscheinlich, daß Biermann in diesem Sonett Parallelen zu seinem unbefriedigenden Leben im Westen entdeckte, aber eignet sich diese Botschaft für Revolutionäre? Fast scheint er hier den Bewohnern der „Heldenstadt" Trost für die Zeit nach dem unvermeidbaren Scheitern ihrer Bemühungen bringen zu wollen. Nach dem Sonett sang er das Lied „Cor ne edito", in dem ein (sein) Leben ohne Zukunftsperspektive porträtiert wird. Der materielle Wohlstand des Westens, den die Wähler im März 1990 vor Augen haben sollten, reicht ihm nicht: „Mir geht es gut. Ich hab zu essen / – ich kau mein Herz in Einsamkeit". Biermann dichtet und singt weiter, aber der Blick richtet sich nun mehr als vorher nach innen, weil der alte Sinn dieser Tätigkeit verflogen ist: „Mein Lied, das wir gesungen haben / Mit Brecht, mit Marx- und Engelszungen / Das war ein frecher Ton aus Hunger / Nach Freiheit, der ist ausgesungen." Es ist daher nicht verwunderlich, daß das Lied mit dem stärksten emotionalen Engagement die „Ballade vom gut Kirschenessen"

war, die von einem Traum erzählt: Oben im Kirschbaum sitzt
ein fröhlicher Robert Havemann, der Biermann bittet, ihm Lieder „vom irdischen Paradies" sowie von der „Hölle auf Erden"
vorzusingen. Ein Rabenschwarm (vgl. „Die Krähen", *DH,* 61)
kann diese Lieder nicht aushalten und fliegt „... in die kalte
Nacht /... (Vornweg das ganze Politbüro)..." Zur Genugtuung
der beiden Freunde ergreifen die alten Feinde die Flucht (das
Lied entstand am 27.11. 1989), aber im Traum gibt es keine
Hinweise darauf, wie das Leben danach aussehen könnte.

In längeren Plaudereien wurde der Leipziger Conférencier
Biermann schon deutlicher. Obwohl er nicht gekommen sei, die
DDR-Bürger „zu belehren über das, was hier nötig ist", wolle er
„klipp und klar" sagen, er möchte „in bezug auf Deutschland...
das Wort ‚wieder' nicht ertragen". Nachdem Bravo-Rufe und
Beifallsäußerungen verklungen waren, fügte er hinzu: „Wir
wären doch nach meiner Meinung schön dumm ..., wenn wir
rückwärts laufen ins alte deutsche Reich à la Kohl – besten
Dank." Obgleich das Leben im Westen „wirklich viel besser" sei
als im Osten, sei die Bundesrepublik „auch nicht die Lösung des
Menschheitsproblems". Und die Alternative dazu? Die DDR
könne „zum ersten Mal seit ihrer Existenz ein eigenes Land"
werden, das „verfluchte Staatseigentum an Produktionsmit-
teln" könne sich in „wirkliches Volkseigentum" verwandeln. Er
habe zwar Verständnis für „Abhauer", aber: „Haut nicht ab,
gebt diesem Land noch eine Chance!" Wenn die Ostdeutschen
vergessen würden, warum sie aufgebrochen sind, käme eine
„Raubtiergesellschaft der Kälte und des Egoismus". Diese
Worte charakterisieren nicht nur Biermanns eigene Befindlich-
keit, sondern auch die Gemütsverfassung vieler ‚neuer Bundesbürger', mit dem kleinen Unterschied, daß Biermann beim
Wechsel vom reglementierten Leben zum unberechenbaren Exi-
stenzkampf die alte Identität nicht einbüßen mußte. Obwohl er
von manchen Konzertbesuchern als Zugereister empfunden
wurde, waren seine Äußerungen eher ein Beleg dafür, wie sehr
der gelernte Westler ‚DDRler' geblieben war.

Die Reaktion auf das Leipziger Konzert in der deutsch-deutschen Presse war ein kleines Lehrstück über die gesellschaftli-

chen Veränderungen seit dem Ausbürgerungsjahr 1976. Damals erlebte man das Kölner Konzert in erster Linie als ein eminent politisches Ereignis; dreizehn Jahre später war Biermanns Auftritt ein Ereignis unter vielen, und natürlich nicht das bedeutendste. Die Beobachter, die dem Abend in der Messehalle historische Bedeutung beimaßen, waren in der Minderheit. Für Peter Iden war es z. B. „ein emphatischer Moment deutscher Geschichte" (*FR*, 4. 12. 1989), und Michael Stone sah den Sänger als „Verkünder und Symbolfigur des Endes der deutschen Nachkriegsmisere" (*Westf. Rundschau*, 4. 12. 1989). Monika Zimmermann hingegen, die ihren Beitrag „Das Exil hat erst begonnen" betitelte (*FAZ*, 4. 12. 1989), faßte das Konzert als einen schwachen Widerschein von 1976 auf: „Wolf Biermanns Rückkehr in die DDR löste, ganz anders als sein Rausschmiß vor dreizehn Jahren, kein emotionales Erdbeben und keine intellektuellen Erschütterungen aus." Das führte sie – m. E. zu Recht (und auch im Sinne Biermanns) – darauf zurück, daß die „Vorarbeit kritischer Künstler" zwar wichtig, aber nicht die unmittelbare Ursache der ‚sanften Revolution' gewesen sei. Wer diese Tage im Dezember – anders als Zimmermann – als „den Triumph des Wolf Biermann" bezeichnete, der tat es vor allem im Hinblick auf die Vergangenheit: „Er hat es vorausgesehen, und er hat recht behalten." (W. I. in der *StZ*, 4. 12. 1989.) Im *Neuen Deutschland* sprach Günter Görtz vom „Wahrheitsgehalt der Lieder" sowie von seiner „Scham", da auch er manche Vorwürfe gegen Biermann für „berechtigt" gehalten habe (4. 12. 1989). Beim *ND*-Interview (2./3. 12. 1989) wurde hervorgehoben, daß Biermann den Appell „Für unser Land" unterstütze: „... jedes Wort kannst du unterschreiben." (Man vergesse nicht, wie scharf Christa Wolf wegen ihrer Mitarbeit an ebendiesem Appell kritisiert wurde.) Was die ästhetische Seite des Konzerts betrifft, so wurde die Vielseitigkeit des „Medienprofis" sowie die „Mischung aus Heinescher Melancholie und Brechtscher Einfachheit" gelobt (so Manfred Jäger im *DAS*, 8. 12. 1989). Interessanterweise gab es aber Kritik aus östlicher Perspektive: Während G. Görtz im *ND* (vgl. oben) den Dichtersänger als einen Hauptvertreter der „politischen Lyrik unserer

Zeit" pries, sah ihn der DDR-Schriftsteller Detlef Opitz als den „Oberlehrer der Nation" (*Rhein. Merkur /Christ u. Welt*, 8.12. 1989), und sein Kollege Christoph Dieckmann ging im *Sonntag* (17.12. 1989) noch einen Schritt weiter: „. . . schlicht ein Song-Poet mit sinnlichem Triebwerk und teutonischer Links-Romantik. Viel Kraft, viel Bild und Assoziation, bei erheblichen Qualitätsverlusten im jüngeren Werk." Da er nun weder „Opfer" noch „Prophet" sei, „darf man ihn endlich kritisieren". (Dieckmann denkt dabei wohl an Kritik im Freundeskreis oder am Stammtisch, denn Biermann wurde in der DDR-‚Öffentlichkeit‘ jahrelang weder gelobt noch kritisiert, sondern einfach totgeschwiegen). Nach dem Leipziger Konzert wurde Biermann durchaus kritisiert, doch diese Kritik richtete sich fast ausnahmslos gegen den politisierenden Künstler, nicht den dichtenden oder singenden. Dem *Spiegel* blieb es wiederum vorbehalten, Biermanns Selbstdarstellung zu verspotten: „So widersprüchlich, so unvergleichlich peinlich und so unübertroffen gefühlsselig wie eh . . ." – Nr. 49/1989. Das Wort „Kinderglaube" kam mehr als einmal vor, auch bei wohlwollenden Kritikern wie M. Jäger oder P. Iden (vgl. oben): „. . . diese enorme Fallhöhe zwischen dem Anspruch auf politische Analyse und einem unpolitischen Kinderglauben, gegen alle Erfahrung, an die Zauberformel ‚Sozialismus‘ . . ." Eine solche Feststellung (man ersetze das Wort „Sozialismus" durch „christliche Nächstenliebe" oder „Menschlichkeit") wirkte allerdings eher zahm gegenüber der Verallgemeinerung eines W.I. (vgl. oben): „Als politischer Prophet war und ist er wie alle Intellektuellen, die in diesem Jahrhundert ihr Denken an der Garderobe der Ideologien und der -ismen abgegeben hatten, nur mittelmäßig und manchmal diffus." Die Lehre, die solchen Beurteilungen entnommen werden soll, ist klar: Wer als ernstzunehmender Teilnehmer an der politischen Diskussion gelten will, der muß sich auf ‚nüchterne‘, ‚wertfreie‘ Analyse beschränken. Die Möglichkeit einer solchen Analyse wird ohne Hinterfragen vorausgesetzt, und Träume, Hoffnungen und Traditionen werden ohne großes Aufheben vor die Tür gesetzt. (Im 20. Jahrhundert ist das in Deutschland in ‚vernünftigen‘ Kreisen schon mehr als einmal vorgemacht worden – mit z. T. katastrophalen Folgen.) Die Vertreter dieser – hyperrationalen – Politikauffassung lassen politisch interessierten Schriftstellern und Künstlern wie Biermann wenig Raum und übersehen geflissentlich, daß viele Menschen lieber den Liedern und Extempores eines Biermann als den mit Worthülsen gespickten Reden der ‚Volks‘-parteienpolitiker zuhören. Im Herbst 1989 war das Reizwort „Utopie-Verbot" in vieler Munde, aber der Drang, das Bestehende denkend und träumend zu transzendieren, hat sich noch nie aus der Welt schaffen lassen. (Wäre Biermann der Theoretiker, der er partout nicht sein will, so würde er sich vielleicht so ausdrücken: „Literatur als Utopie ist ja generell Vorgriff der Einbildungskraft auf neue Erlebniswirklichkeiten, bedeutet planvoll phantasiereiches Entdecken und Aktivieren der schöpferischen Vermögen des Menschen im ästhetischen Bild und kritische Absage an eine hemmende Wirklichkeit." – Ueding, 1978, 10.) Weder die Geschichte noch das Unbehagen an ihr sind zu Ende, und Menschen wie Biermann wird es wohl immer geben. Daß sie in einer immer durchrationalisierteren Welt anecken werden, sollte niemand verwundern. Es geht nicht darum, daß man mit ihnen übereinstimmen sollte, sondern darum, daß sich die ‚Nüchternen‘ fragen, warum sie sich immer weniger erschüttern lassen. Mit anderen Worten, die Todfeinde eines Biermann sind die Panzer auf der Straße und in der Brust.

Seit dem denkwürdigen Abend in Leipzig konzertiert Wolf Biermann weiter. Am 2. Dezember 1989 nahm er z. B. an der Veranstaltung „Verlorene Lieder – Verlorene Zeiten" im Ostberliner Haus der jungen Talente teil. (Der Auftritt als „Zwerg Nummer 7" bei dieser „kleine(n) deutschdeutsche(n) Liedervereinigung" war anscheinend nicht nach seinem Geschmack. Vgl. „Duftmarke setzen!") Gesungen hat er im Deutschen Theater (Ostberlin), im Audimax der Humboldt-Universität am 2. Oktober 1990, d. h. am Vorabend der deutschen Einheit, und in der Nikolaikirche in Prenzlau, wo er 1976 im Rahmen eines Gottesdienstes gastiert hatte. Die 1990er Tournee „Gut Kirschenessen" führte ihn wieder durch die ganze (alte) Bundesrepublik. Mehr als die Hälfte der Lieder, die er bei dieser Tournee sang, gehörten schon zum Leipziger Programm. Das ist deshalb erwähnenswert, weil es darauf hinweist, daß Biermann in der Messehalle kein besonderes ‚DDR-Heimkehr-Konzert‘ gab. (Dies im Vergleich zu Köln, wo das Material für diesen einen Abend zusammengestellt worden war.) Menschlich gesehen war der erste DDR-Auftritt seit der Ausbürgerung für den Sänger zweifellos ein überwältigendes Erlebnis, doch künstlerisch betrachtet war er – abgesehen von den aktuellen ‚Hetzliedern‘ – eher ein Punkt auf dem Kontinuum. Die Schallplatte *Gut Kirschenessen – DDR ça ira!* dokumentiert die gleichnamige Tournee und enthält auch das düstere Langgedicht/Lied „Melancholie“. Hier spricht Biermann streckenweise wie Günter Kunert, dessen apokalyptischen Pessimismus er beim *Zeit*-Gespräch (1980) nicht hinnehmen wollte: „Auf all dem Industriemist kräht kein Hahn / Die Menschlein taumeln über jeden Rand / Zu arm, zu reich, zu klein im Größenwahn“.

Solche Visionen beschäftigen zunehmend auch den Publizisten Biermann, der seit 1990 immer öfter in Erscheinung tritt. Fast möchte man meinen, Biermann fürchtet, daß seine Stimme im neuen Deutschland nicht gehört werden würde, wenn er sie nur auf der Bühne bzw. im Studio erhöbe. (Er hat 1991 z. B. festgestellt, daß „in diesen wackligen Zeiten im Osten keiner gern das knappe neue Geld für Gereimtes ausgibt“. – „Am Tatort“.) Es ist aber nicht so, als hätte er angesichts der neuen Lage seine Art, Prosa zu schreiben, wesentlich geändert. Seine Texte ähneln immer noch der Conférence im Konzertsaal, d. h., sie sind vorwiegend assoziativ, anekdotenhaft und hart am Gegenstand (eigentlich: an den vielen Gegenständen, denen er sich zuwendet). Am Schluß dieser Arbeit kann die Publizistik aus den Jahren 1990/91 nicht eingehend behandelt werden, aber auf gewisse Aussagen und Tendenzen sollte zumindest hingewiesen werden.

Der Zeitungsschreiber Biermann nennt sich nun ungeniert einen „Intellektuellen“, und das ist eine grundlegende Änderung des – öffentlichen – Selbstbildes, die durch die Hinzufügung des Spottnamens „Gehirnakrobat“ nicht ernsthaft relativiert wird („Über das Geld …“). Intellektuelle – sofern sie sich als unabhängig betrachten – sind meist Einzelgänger, und in letzter Zeit distanziert sich Biermann lautstark von allen möglichen Gruppen. Von Ausnahmen abgesehen läßt er an den ehemaligen DDR-Schriftstellerkollegen – u. a. den Unterzeichnern der „Biermann-Petition" – kaum ein gutes Haar: Zu den milderen Ausdrücken gehört „Wider-den-Stachel-Löcker mit storniertem Pensionsanspruch" („Nur wer sich ändert . . ."). Gleichzeitig erfährt die Literatur selbst eine ungeheure Aufwertung gegenüber der Politik: „Wenn dieser großdeutsche Kuddelmuddel vorüber ist, zählen sowieso nur unsere Romane, Stücke, Gedichte und Lieder. Das ist mir Trost und Stachel genug." (ebd.) Dreißig Jahre zuvor war derselbe (vgl. Kapitel I) „von den politischen Leidenschaften zur Kunst" gekommen. Besser als die Schriftsteller kommen die Deutschen auch nicht weg. Den „gelernten Untertanen" in der DDR („Riesenkrake"), die sich „Kohl an die Wampe" warfen, gönnt er die Enttäuschungen nach der Wahl („Am Tatort"). Darüber hinaus insinuiert er, daß die Deutschen bis heute für den Faschismus anfällig wären. Sein Kommentar zum Jubel, als die deutsche Fußballmannschaft bei der Weltmeisterschaft 1990 siegte, lautete: „Seit Hitler waren die Deutschen nicht mehr so begeistert." („Nur wer sich ändert . . .") Das kann man eventuell als Frotzelei abtun, folgende Aussage jedoch kaum: „Wenn die Soldaten der Roten Armee und der US-Army nicht gegen sie gekämpft hätten, würden die Deutschen heute noch Heil Hitler schreien." („Kriegshetze") Wenn sich Biermann immer weniger als Deutscher zu fühlen scheint, so ist er bei den Linken auch nicht mehr ganz zu Hause. Der DDR trauert er gar nicht nach („Sogar der ordinärste Anschluß an die Bundesrepublik ist immer noch besser als alles, was vorher war." – „Das wars"), und mit „Altlinken im Westen" legt er sich an, weil viele von ihnen „bösartig verwirrt und stocksauer über das Ende des Tierversuches DDR" seien („Nur wer sich ändert . . ."). Im Sinne der Gleichung rot = braun wettert er gegen diejenigen, die – wie er es selbst jahrelang tat – einen „reinen Kommunismus" gegen den „dreckigen" predigen würden: Sie seien „auf keiner höheren moralischen Stufe als nach 45 irgendwelche Edelnazis" („Über das Geld . . ."). Neuerdings hält er nicht nur Stalin, sondern auch Lenin für einen Verbrecher (Gorbatschow habe „das monströse Werk von Lenin und Stalin" zerstört – „Weltgeist"), und das kommt einer Verdammung der Oktoberrevolution gleich. Sogar Bloch und Havemann werden jetzt behutsam kritisiert, weil sie viel zu lange Illusionen über das Wesen des Stalinismus gehegt hätten („Über das Geld ..."). Zu wem kann sich nun einer gesellen, der seit der frühsten Kindheit dem Leitstern Sozialismus gefolgt ist?

Zu den überzeugten Verfechtern des Kapitalismus offensichtlich nicht. In einer Welt, die von Umweltzerstörung, Armut und Hunger gekennzeichnet ist, fürchtet Biermann einen aus seiner Sicht unerfreulichen Nebeneffekt der Bankrotterklärung des osteuropäischen Sozialismus: „Ein scharf geschminkter Aids-Kranker triumphiert am Grab seines verfaulten Feindes. Der Kapitalismus steht irreführend gut da auf unserem ruinierten Planeten." („Auch ich war bei der Stasi.") Immer wieder betont er, daß uns das „Profitinteresse" nicht aus der ökologischen Sackgasse führen könne, daß die deutsch-deutschen Vereinigungsprobleme eher nebensächlich seien: „Von Äthiopien aus gesehen, ist das alles zynischer Kikifax." („Das wars.") Bei einem Interview (*SZ*, 27./28.1. 1990) hat der Schriftsteller Wolfgang Hildesheimer ähnliche Formulierungen verwendet, und wenn Biermann nicht Liedermacher, sondern Romancier wäre, würde er vielleicht, wie Hildesheimer es tat [W.H. starb 1991], einfach aufhören zu schreiben, statt durch die Weiterarbeit auch die Illusion zu kreieren, alles wäre noch in Ordnung. Bisher sieht es allerdings nicht so aus, als würde Biermann die Suche nach Alternativen bzw. nach einer Gemeinschaft aufgeben. Vom Temperament her ist er bestimmt keiner, der leicht verstummen könnte. An wen soll/kann er sich aber noch wenden?

Im Februar 1990 bekannte er im Hinblick auf Václav Havel: „Ich wäre so gern auch mal in der Mehrheit gewesen." („Das wars.") Inzwischen ist das zur Verblüffung vieler tatsächlich vorgekommen. Im Februar 1991 veröffentlichte er den Artikel „Kriegshetze Friedenshetze" mit der Überschrift „Damit wir uns richtig mißverstehen: Ich bin für diesen Krieg am Golf." (*Zeit* 6/1991) Diese Position war innerhalb der deutschen Linken nicht mehrheitsverdächtig (wie die Leserbriefe in Nr. 8 vorführen), in einflußreichen Kreisen aber doch – von der Stimmung in den USA, Großbritannien und anderswo ganz zu schweigen. Warum begrüßt der Verfasser von „Soldat, Soldat" wider Erwarten den Einsatz von Panzern, Bombern und Raketen? Biermann als Bellizist? Das ist zu vereinfacht. Ist es die alte Wut auf die angeblich von DKP und Stasi manipulierte deutsche Friedensbewegung? Nur zum Teil. Vor allem mit Bezug auf die Anti-Hitler-Koalition und den Holocaust plädiert er für den gerechten Krieg gegen den Irak, auch wenn er ein „Verbrechen" sei. Bei den Kriegsgegnern glaubt er auch eine „Allianz zwischen echten Rechten und falschen Linken" auszumachen. (Er selbst rechnet sich anscheinend zur „authentischen Linken", von der Jürgen Fuchs in Leipzig sprach.) Der Krieg gegen Saddam Hussein, den Biermann als einen neuen Hitler und mörderischen Antisemiten darstellt (vgl. H. M. Enzensbergers Essay im *Spiegel* 6/1991, der fast gleichzeitig herauskam), erscheint als eine Art Neuauflage des antifaschistischen Kampfes, des einzigen, den der Sohn von Dagobert Biermann noch rechtfertigen kann. Nein, „Neuauflage" ist das falsche Wort. „Verbesserte Auflage" müßte es heißen, denn die Rettung der Juden war einst nicht das primäre Kriegsziel. War oben vom „Kinderglauben" Biermanns die Rede, so müssen im Zusammenhang mit dem Golfkrieg die Traumata des Kindes in den Mittelpunkt gerückt werden. Nicht umsonst erzählt Biermann in seinem Artikel – m. W. zum ersten Mal –, daß sein Vater die Nazizeit vielleicht hätte überleben können, wenn er nicht (unaufgefordert) bei einer Gerichtsverhandlung geschrien hätte, er sei Jude. Obwohl der Sohn fast ein halbes Jahrhundert später schreibt, er sei Partei in diesem (Golf-)Streit, aber „kein Jude", muß der Leser zu dem Schluß kommen, daß er das Gegenteil meint. Das Ende des Artikels liest sich wie ein Abschied, nicht nur von der deutschen Friedensbewegung, sondern von Deutschland überhaupt: „... ich bin auch kein festgewachsenes Pflänzchen im großdeutschen Schrebergarten." Die Angst um Israel artikuliert Biermann seit dem Herbst 1990, und jetzt singt er neben dem „Lied des Bundes" auch „Wir leben ewig ...!", das „jiddische Lied aus dem Ghetto in Wilna" („Am Tatort"). Es läßt sich natürlich nicht voraussagen, inwiefern eine stärkere Bindung an die jüdische Kulturgemeinde oder gar eine Übersiedlung (es wäre nicht die erste in seinem Leben) nach Israel dem Ex-Sozialisten eine neue Identität bzw. besagtes Glück, in der Mehrheit zu sein, verschaffen könnte. Schon die Tatsache jedoch, daß man solche Überlegungen überhaupt anstellt, zeigt, daß man sich einen ‚postmodernen' Biermann ohne festen Halt nicht vorstellen kann. Ein Halt hat den Zusammenbruch des Sozialismus allerdings überlebt, und an den wird sich Wolf Biermann höchstwahrscheinlich noch lange klammern: Gemeint ist die Kunst.

„Da steht er nun, Wolf Biermann, der gescheiterte Revolutionär, der siegreiche Poet . . .“ So sprach M. Reich-Ranicki im Oktober 1991 bei seiner Laudatio auf den Büchner-Preis-Träger. In seiner eigenen Rede verzichtet Biermann auf die höheren Weihen des Poeta laureatus: Er funktionierte das Darmstädter Forum zum Tribunal um, indem er den Lyriker Sascha Anderson der langjährigen Stasi-Mitarbeit bezichtigte und die ganze alternative Künstlerszene in Ostberlin scharf kritisierte. (Mittlerweile hat sich erwiesen (ARD-Sendung „Kontraste“ vom 6.1. 1992), daß Biermanns Vorwürfe gegen Sascha Anderson gerechtfertigt waren: Anderson war seit mehreren Jahren Informant der Stasi.) Diese Vorwürfe wiederholte er im Fernsehen sowie in Fellbach anläßlich der Verleihung des Mörike-Preises: Die „bunte Kulturszene am Prenzlauer Berg“ sei „ein blühender Schrebergarten der Stasi“ gewesen, die Künstler selbst „spätdadaistische Gartenzwerge“. Der Streit um diese und andere Äußerungen („Schmutzschlacht“, „Denunziantentum“, „Hatz“ usf.) ist eines der vielen Anzeichen dafür, daß die Deutschen im allgemeinen und die Künstler im besonderen zwar politisch, kaum aber psychisch oder kulturell „vereinigt“ sind. Jürgen Fuchs sieht ein „Auschwitz in den Seelen“ auf viele zukommen, und Pfarrer Schorlemmer warnt: „Unsere Vergangenheit greift nach uns.“ Auf seine Weise („Eintracht zu stiften ist seine Sache nicht“, sagte Reich-Ranicki in Darmstadt) versucht Biermann, gegen die Verdrängung dieser Vergangenheit anzugehen. Dabei werden sich – wie schon immer und wohl auch künftig – Freunde *und* Feinde um ihn scharen. Mit weiteren Kontroversen ist zu rechnen.

Auswahlbibliographie

(NB: Von Ausnahmen abgesehen wurden die Zeitungsartikel, die oben erwähnt werden, nicht in die Bibliographie aufgenommen.)

I. Primärliteratur

A. Bücher von Wolf Biermann

Die Drahtharfe. (West-)Berlin: Wagenbach, 1965. (= Quartheft 9)

Mit Marx- und Engelszungen. (West-)Berlin: Wagenbach, 1968. (= Quartheft 31)

Der Dra-Dra. (West-)Berlin: Wagenbach, 1970. (= Quartheft 45/46)

Für meine Genossen. (West-)Berlin: Wagenbach, 1972. (= Quartheft 62)

Deutschland. Ein Wintermärchen. (West-)Berlin: Wagenbach, 1972. (= Quartheft 63)

Berichte aus dem sozialistischen Lager von Julij Daniel. Ins Deutsche gebracht von Wolf Biermann. Hamburg: Hoffmann und Campe, 1972. (Auch in *Nachlaß 1.*)

Das Märchen vom kleinen Herrn Moritz, der eine Glatze kriegte. Bilder von Kurt Mühlenhaupt. München: Parabel, 1972.

Nachlaß 1. (Enthält alle bisherigen Bücher außer dem *Märchen.*) Köln: Kiepenheuer & Witsch, 1977.

Preußischer Ikarus. Köln: Kiepenheuer & Witsch, 1978.

Das Märchen von dem Mädchen mit dem Holzbein. Ein Bilderbuch von Natascha Ungeheuer. Köln: Kiepenheuer & Witsch, 1979.

Verdrehte Welt – das seh' ich gerne. Köln: Kiepenheuer & Witsch, 1982.

Affenfels und Barrikade. Köln: Kiepenheuer & Witsch, 1986.

Shakespeare. Fünf Sonette. Privatdruck von Heinz Schornstein und Eckehart Schumacher Gebler, 1989

Klartexte im Getümmel. (Ausgewählte Prosa 1976/1990.) Hrsg. von Hannes Stein. Köln: Kiepenheuer & Witsch, 1990.

Alle Lieder. Köln: Kiepenheuer & Witsch, 1991 („...nicht ganz und gar alle" heißt es im Vorwort.)

Ich hatte viel Bekümmernis. Zürich: Theolog. Vlg., 1991 (Zu Bachs 121. Kantate.)

Über das Geld und andere Herzensdinge. Prosaische Versuche über Deutschland Köln: Kiepenheuer & Witsch (KiWi 240), 1991 (Erw. Fassungen der *Zeit*-Artikel 1990, mit Vorwort und „parteiische(m)" Namensregister.)

B. Schallplatten von Wolf Biermann

Sechs Biermann-Lieder. Eterna-Schallplatten, DDR. Unveröffentlicht.

Wolf Biermann (Ost) bei Wolfgang Neuss (West). Philips 838 349–1. 1965. (Neu herausgebracht von 2001.)

Vier neue Lieder. Wagenbachs Quartplatte 3. 1968.

Chausseestraße 131. Wagenbachs Quartplatte 4. 1969. (Neuausgabe 1975; CBS 80 798.)

Warte nicht auf beßre Zeiten. CBS 65 753. 1973.

aah-jaa! CBS 80 188. 1974.

Liebeslieder. CBS 80 982. 1975.

Es gibt ein Leben vor dem Tod. CBS 81 259. 1976.

Das geht sein' sozialistischen Gang. CBS 88 224. 1977. (Dokumentation zum Kölner Konzert vom 13. November 1976.)

Der Friedensclown. CBS 82 262. 1977.

Trotz alledem. CBS 82 975. 1978.

Hälfte des Lebens. CBS 83 922. 1979.

Eins in die Fresse, mein Herzblatt. CBS 88 502. 1980.

Wir müssen vor Hoffnung verrückt sein. EMI Electrola 064-46 663. 1982.

Im Hamburger Federbett. EMI Electrola 066-16 52 171. 1983.

Die Welt ist schön. EMI Electrola 066-24 04 451. 1985.

Seelengeld. EMI Electrola 164 24 0651 3. 1986.

VE(Volkseigener)Biermann. EMI Electrola 066-7 91 258 1. 1988.

Gut Kirschenessen DDR – ça ira! EMI Electrola 066-7 94 272 1. 1990.

C. Interviews und Gespräche in chronolog. Reihenfolge (=I&G)

„,Wer verändert die Weltveränderer?' *konkret*-Interview mit Wolf Biermann." *konkret,* 16. Juni 1969, S. 45–46. (=1969 a)

„,Können Sie schwimmen?' Fragen an Wolf Biermann." Franz Hohler, *Fragen an andere.* Bern: Zytglogge, 1973, S. 7–17. (Das Gespräch fand am 19. 12. 1969 in Ostberlin statt.) (=1969 b)

„,Ich stehe auf eingezäuntem Boden.' Ein Interview mit Wolf Biermann." *FR,* 1. April 1969. (=1969 c)

„Jede Art Sklavensprache ist mir zuwider. Interview mit Wolf Biermann über sein Stück ,Der Dra-Dra'." *FR,* 9. Sept. 1970.

„,Ich bin ein staatlich anerkannter Staatsfeind.' Interview mit dem DDR-Schriftsteller Wolf Biermann." *Der Spiegel,* Nr. 10, 1971, S. 153–161.

„,Das Verbot trifft mich und formt mich.' Ein Gespräch mit Wolf Biermann in Ost-Berlin." *FR,* 30. Dezember 1972.

„,Rückschläge in finsterste Zeiten denkbar.' Der Ost-Berliner Liedermacher Wolf Biermann über Entspannungs-Chancen in der DDR." *Der Spiegel,* Nr. 43, 1973, S. 86–97.

„Wolf Biermann im Gespräch mit Klaus Antes." (1974) In: Antes u. a., *Wolf Biermann,* hrsg. von Heinz Ludwig Arnold. München: edition text und kritik, 1975, S. 15–29. (=1974 a)

„‚Berufsverbote auch in der DDR.' Auszug aus einem Interview im Westberliner ‚Extra-Dienst'." *Der Spiegel,* Nr. 16, 1974, S. 16. (=1974 b)

Windmöller, Eva/Peter Koch. „Gespräch mit Robert Havemann und Wolf Biermann." *Stern,* 23. Oktober 1975. Abdruck auch in *europäische ideen,* H. 16, 1976, S. 1–8.

„‚Es gibt auch Kommunisten in der SED.' Das Fernsehgespräch zwischen Robert Havemann und Wolf Biermann: 30 Jahre Einheitspartei, 30 Jahre Nichtanerkennung und Anerkennung." *FR,* 26. April 1976. (Aus der Sendung „Tagesthemen" vom WDR.) (=1976 a)

Biermann, Wolf/Günter Wallraff. „Auszüge aus einem begonnenen Dialog in Berlin, Chausseestraße, 26./27. Oktober 1976." In: *In Sachen Wallraff,* hrsg. von Christian Lindner. Köln: Kiepenheuer & Witsch, 1986, S. 89–100. Erstdruck: WB, *Voor Mijn Kameraden,* Amsterdam 1976. Auch in *Exil,* hrsg. von Peter Roos (s. unten). (=1976 b)

„‚Die wissen genau, wie sehr sie bedroht sind.' Wolf Biermann über seine Ausbürgerung und die DDR." *Der Spiegel,* Nr. 48, 1976, S. 36–46. (=1976 c)

„‚Ich bin für die Freiheit, die man sich nimmt.' Interview mit Wolf Biermann." *Pardon,* Nr. 6, 1976, S. 11–13. (=1976 d)

„‚Die rechte Bande nimmt mich nicht mehr an die Brust.' *konkret*-Gespräch mit Wolf Biermann." *konkret,* H. 1, 1977. Abdruck in *Wolf Biermann,* hrsg. von Heinz Ludwig Arnold. München: edition text und kritik, 2. veränder. Auflage 1980, S. 40–51. (=1977 a)

„Biermann: Brutale Deutlichkeit." *FR,* 12. Februar 1977. (=1977 b)

„Die verlorene Freiheit. Liedermacher Wolf Biermann über die Entwicklung in Osteuropa." *Die Weltwoche,* 16. März 1977. (=1977 c)

„Biermann: Die, die nicht so berühmt sind . . ." (zu Bahro) *Die Welt,* 3. Juli 1978. Leserbriefe dazu in der Ausgabe vom 21. Juli 1978.

„Liebeslied an blöde Ziegen. Interview mit Wolf Biermann." *Sexualität konkret,* 1979, S. 79–81. (=1979 a)

„‚Er war anders als Ulbricht.' WB spricht mit Emma Biermann, Hamburger Kommunistin." „‚Er war ehrlich und gefährlich.' WB spricht mit Lothar Popp, Hamburger Sozialdemokrat." Beide in *Die Zeit,* Nr. 3, 1979. (=1979 b)

Reininghaus, Frieder. „Gespräch mit Wolf Biermann." (Jan. 1979) *europäische ideen,* H. 45/46, 1979, S. 59–63. (=1979 c)

Angelovski, Almut u. a. „Der sichere Standpunkt. Zur Position Wolf Biermanns." *die horen,* H. 126, 1982, S. 45–61. Das Gespräch fand am 3. 11. 1979 statt. (=1979 d)

„Wolf Biermann über das ‚Wintermärchen'. Gespräch mit Frieder Reininghaus. *Spuren,* Nr. 1, 1979, S. 28–33. (=1979 e)

„‚Wenn ich so dächte wie Kunert, möchte ich lieber tot sein.' Ein ZEIT-Gespräch zwischen Wolf Biermann, Günter Kunert und Fritz J. Raddatz. *Die Zeit,* Nr. 47, 1980.

Serke, Jürgen. „Wolf Biermann: ein sozialistischer Sisyphos". In: ders., *Die verbannten Dichter*. Hamburg: Knaus, 1982, S. 32–49. (=1982 a)

„‚Ich bin kein Punk.' *taz*, 19. Oktober 1982. (=1982 b)

„Deutsch lernen aus der Ferne. Wolf Biermann im Gespräch mit Frieder Reininghaus." *DAS*, 24. Oktober 1982. (=1982 c)

„Schlechte Zeiten für Drachentöter. Wolf Biermann auf Tournee und im Gespräch." *FR*, 4. Dezember 1982. (=1982 d)

„‚Leute dabei, die nur für Abrüstung im Westen sind.' Wolf Biermann, Jürgen Fuchs und Frank-Wolf Matthies zur Friedensdiskussion." *Saarbrücker Zeitung*, 15. Oktober 1982. (=1982 e)

„Desinteresse an Polen. Wolf Biermann ist von seinen linken Genossen bitter enttäuscht." *Vorwärts*, 9. Dezember 1982. (=1982 f)

„Leider wird die Friedensbewegung von DKP-Heuchlern manipuliert." *Marabo*, 11. November 1982. (=1982 g)

„‚Meine Gitarre stöhnt vor Scham.' Wolf Biermann und die Polensolidarität." *taz*, 12. Dezember 1982. (=1982 h)

Miller, Jim. „Biermann on Eisler: An Interview with Wolf Biermann." (Okt. 1983) *Communications from the International Brecht Society*, Bd. 18, Nr. 2, Juli 1989. S. 21–34. (= 1983 a)

Fehervary, Helen/Henry Schmidt. „Documentation: Wolf Biermann." (23. 10. 1983) *The German Quarterly* 2/1984, S. 269–279. (=1983 b)

Zimmer, Dieter E. „Was uns noch blüht. Aus dem Leben einer alten Kommunistin." (d. i. Emma Biermann.) *Die Zeit*, Nr. 38, 1984.

„Der Mensch ist doch keine Wegwerfdose." *Vorwärts*, 23. November 1985.

„Deutsche. Wolf Biermann im Gespräch mit Günter Gaus." *Die neue Gesellschaft/Frankfurter Hefte*, H. 6, 1987, S. 556–563. Fernsehgespräch vom 9. Juni 1986. (=1986 a)

„Pardon, ich lebe noch." *Brigitte*, 23/1986, S. 108–113. (=1986 b)

Ahrends, Martin. „‚Nun lüften ihn die Winde kräftig aus.' Eine Begegnung mit Wolf Biermann." *Die Zeit*, Nr. 47, 1986. (=1986 c)

„Rameaus Großneffe. Interview mit Frieder Reininghaus zu Wolf Biermanns 50. Geburtstag." *taz*, 15. Nov. 1986. *(KiG)* (=1986 d)

„Die DDR ist ein Erziehungsheim hinter Stacheldraht." *taz*, 21. August 1989 (= 1989a)

„Zur Lage in der DDR. Gespräch zwischen Wolf Biermann, Hamburg, und Bärbel Bohley, Ost-Berlin." Deutschlandfunk – Informationen am Morgen. 24. Oktober 1989, 7.15 Uhr. (= 1989 b)

„‚Die alten Herrn verpißten sich.' Der Liedermacher Wolf Biermann über Stasi-Akten und das neue Deutschland." *Der Spiegel*, Nr. 40, 1990, S. 308–318.

D. Weitere Werke von Wolf Biermann

„Zwei Portraits." Vorwort zu Jürgen Fuchs, *Gedächtnisprotokolle*. Reinbek: Rowohlt, 1977. S. 7–10. (=Rowohlt aktuell 4122)

„Über meine Beziehung zu Ernst Bloch." In: *Bloch-Almanach*, Bd. 6, 1986, S. 137–145.

„Lektion vom Halbgott." In: *Stern* 9/1986. (zu Mutlangen)

„TV" und „Photos". (Gedichte) In: *Die Zeit* 31/1989.

„Das ewig lachende Gebiß." In: *taz*, 19. Oktober 1989. (Vgl. *KiG*.)

„Mir lachte das Herz, und es gab mir einen Stich." In: *Die Zeit* 47/1989. *(KiG)*

„Und als ich an die Grenze kam." In: *taz*, 11. November 1989. *(KiG)*

„Wer war Krenz?" In: *taz*, 18. November 1989. *(KiG)*

„Ballade vom gut Kirschenessen." In: *Die Zeit* 49/1989.

„Das wars. Klappe zu. Affe lebt." In: *Die Zeit* 10/1990.

„Duftmarke setzen." In: *taz/ddr*, 16. März 1990. (Erweiterte Fassung von „Das wars…") *(KiG)*

„Auch ich war bei der Stasi." In: *Die Zeit* 19/1990.

„Antwort auf die Umfrage ‚Symbole für das neue Deutschland'." In: *Die Zeit* 26/1990.

„Nur wer sich ändert, bleibt sich treu." In: *Die Zeit* 35/1990.

„Im Gehirn der Riesenkrake." In: *Die Zeit* 39/1990.

„Ich halt's gut aus." (Gedicht) In: *Die Zeit* 43/1990.

„Über das Geld und andere Herzensdinge." In: *Die Zeit* 47/1990.

„Kriegshetze Friedenshetze." In: *Die Zeit* 6/1991. (Leserbriefe dazu in Nr. 8/1991.)

„Weltgeist auf allen Vieren." In: *Zeit-Magazin* 8/1991.

„Wir tranken schön Tee." (Gedicht) In: *Die Zeit* 18/1991.

„Am Tatort". In: *Die Zeit* 24/1991. (Mit dem Gedicht „Dideldumm!")

E. Werke von anderen, Anthologien

Bellman, Carl Michael. *Durch alle Himmel alle Gossen*. Ins Deutsche gebracht von Fritz Graßhoff. Köln: Kiepenheuer & Witsch, 1966.

Brassens, Georges. *Ich bitte nicht um deine Hand. Chansons*. Hrsg. und übersetzt von Peter Blaikner. Frankfurt am Main: Suhrkamp, 1989 (=st 1632)

Braun, Volker. *Provokation für mich*. Gedichte. Halle (Saale): Mitteldeutscher Verlag, 1965.

ders. *Unvollendete Geschichte*. Frankfurt am Main: Suhrkamp, 1979. (=BS 648). Zuerst in *Sinn und Form* 5/1975.

ders. *Wir und nicht sie*. Gedichte. Frankfurt am Main: Suhrkamp, 1970. (=es 397)

Brecht, Bertolt. *Die Gedichte in einem Band*. Frankfurt am Main: Suhrkamp, 1984.

Degenhardt, Franz Josef. *Kommt an den Tisch unter Pflaumenbäumen. Sämtliche Lieder mit Noten*. München: dtv, 1981. (=dtv 1645)

Die eigene Stimme. Lyrik der DDR. Hrsg. von Ursula Heukenkamp u. a.

(Ost-)Berlin und Weimar: Aufbau, 1988. (Biermann ist nicht vertreten, obwohl die Anthologie „Anspruch . . . auf Repräsentanz" erhebt.)

Dinescu, Mircea. *Exil im Pfefferkorn*. Gedichte. Hrsg. von Werner Söllner. Frankfurt am Main: Suhrkamp, 1989. (=es NF 1589) (Die Gedichte eines rumänischen Lyrikers, der für kurze Zeit das Glück hatte, in der Mehrheit zu sein.)

Eisler, Hanns. *Materialien zu einer Dialektik der Musik*. Hrsg. von Manfred Grabs. Westberlin: das europäische buch, 1987. (=eurobuch 24)

Französische Chansons. Von Béranger bis Barbara. Hrsg. von Dietmar Rieger. Stuttgart: Reclam, 1987. (=RUB 8364)

Fried, Erich. *Gründe. Gesammelte Gedichte*. (West-)Berlin: Wagenbach, 1989.

Graves, Peter J. (Hg.). *Three Contemporary German Poets: Wolf Biermann, Sarah Kirsch, Reiner Kunze*. Leicester: Leicester University Press, 1985. (Auswahl mit Einführung und Anmerkungen)

Havemann, Robert. *Die Stimme des Gewissens*. Hrsg. von Rüdiger Rosenthal. Reinbek: Rowohlt, 1990. (=Rowohlt aktuell 12 813). (Untertitel: „Texte eines deutschen Antistalinisten".)

Heym, Stefan. *Nachruf*. München: Bertelsmann, 1988.

Immer um die Litfaßsäule rum. Gedichte aus sechs Jahrzehnten Kabarett. Hrsg. von Helga Bemmann. (Ost-)Berlin: Henschelverlag, 1965.

Kirsch, Rainer. *Auszog das Fürchten zu lernen*. Reinbek: Rowohlt, 1978.

Lettau, Reinhard. *Täglicher Faschismus*. Leipzig: Reclam, 1973. (=RUB 547). Erstdruck 1971 (München: Hanser).

Musenkuß und Pferdefuß. Verse, vorwiegend heiter. Hrsg. von Gisela Steineckert. (Ost-)Berlin: Neues Leben, 1964.

Musil, Robert. *Nachlaß zu Lebzeiten*. Reinbek: Rowohlt, 1962. (=rororo 500)

Neuss, Wolfgang. *Neuss Testament*. Hrsg. von Volker Kühn. Frankfurt am Main: Syndikat, 1985. (entst. 1965)

Salvatore, Gaston. *Der Mann mit der Pauke. Wolfgang Neuss*. Berlin und Schlechtenwegen: März Verlag, 1981.

Sonnenpferde und Astronauten. Gedichte junger Menschen. Hrsg. von Gerhard Wolf. Halle (Saale): Mitteldeutscher Verlag, 1964.

Villon François. *Das Kleine und das Große Testament*. Hrsg. von Frank-Rutger Haussmann. Stuttgart: Reclam, 1988. (=RUB 8518)

Winkler, Kalle. *Made in DDR. Liedermacher: unerwünscht*. Frankfurt am Main: Fischer, 1985. (=Fischer Boot 7582). (1. Aufl.: Westberlin: Oberbaum, 1983.) (Die Erfahrungen eines ‚nachgeborenen' Liedermachers in der DDR.)

II. Sekundärliteratur

A. Bibliographien, Gesamtdarstellungen, Monographien und Sammelbände zu Wolf Biermann

Allenstein, B./M. Behn/Jay Rosellini. „Wolf Biermann." In: *Kritisches Lexikon zur deutschsprachigen Gegenwartsliteratur*. 37. Nlg. 1991.

Antes, Klaus u. a. *Wolf Biermann*. Hrsg. von Heinz Ludwig Arnold. München: Edition Text und Kritik, 2. veränd. Aufl. 1980. (1. Aufl. 1975.)

Biermann und die Folgen. (West-)Berlin: Verlag europäische ideen, 1977. (Sonderheft der Zs. *europäische ideen*)

Meier-Lenz, Dieter P. *Heinrich Heine – Wolf Biermann. Deutschland. Zwei Wintermärchen – Ein Werkvergleich*. Bonn: Bouvier, 3. erw. Aufl. 1985. (=Abhandlungen zur Kunst-, Musik- und Literaturwissenschaft, Bd. 246.) (Geht weit über einen reinen Werkvergleich hinaus.)

ders. (Hg.) *Wolf Biermann und die Tradition: Von der Bibel bis Ernst Bloch*. Stuttgart: Klett, 1981. (=Editionen für den Literaturunterricht)

Peitz, Christiane. *Das Verhältnis von Sprache und Musik in den Liedern Wolf Biermanns*. Intertextualität im Dichtergesang. Magisterarbeit, Universität Hamburg, 1983.

Reinhard, Andreas M. *Erläuterungen zu Wolf Biermann, Loblieder und Haßgesänge*. Hollfeld/Obfr.: C. Bange Verlag, 1977. (=Königs Erläuterungen und Materialien, Bd. 260/61)

Reymann, Sönke. *Die „Liedermacher"-Kultur. Ein Beitrag zur literarischen Charakteristik eines neuen Genres an Hand ausgewählter Beispiele*. Magisterarbeit, Universität Hamburg, 1985.

Roos, Peter (Hg.). *Exil. Die Ausbürgerung Wolf Biermanns aus der DDR*. Köln: Kiepenheuer und Witsch, 1977.

Schneider, Marita. *Die Heine-Rezeption Wolf Biermanns in seinen Gedichten aus der Zeit nach der Ausbürgerung aus der DDR*. Magisterarbeit, Universität Hamburg, 1982.

Shreve, John. *Nur wer sich ändert, bleibt sich treu. Wolf Biermann im Westen*. Frankfurt am Main/Bern/New York/Paris: Peter Lang, 1989. (=Europäische Hochschulschriften, Reihe I, Deutsche Sprache und Literatur, Bd. 1137.) (Ausführlich und sehr gut dokumentiert.)

Über Wolf Biermann. Hrsg. von Andreas W. Mytze. (West-)Berlin: Verlag europäische ideen, 1977. (Sonderheft der Zs. *europäische ideen*)

Wolf Biermann – Ein deutscher Fall. Hrsg. vom Komitee „Verteidigung und Verwirklichung der demokratischen Rechte und Freiheiten in Ost und West, in ganz Deutschland". Bochum 1977.

Wolf Biermann. Liedermacher und Sozialist. Hrsg. von Thomas Rothschild. Reinbek: Rowohlt, 1976. (=rororo 4017)

Zum Fall des Wolf Biermann. Eine Dokumentation des Briefwechsels und Meinungsaustauschs zwischen Lesern und Redaktion der *Deutschen Volkszeitung*. Düsseldorf 1976.

Altwegg, Jürg. „Jean Ferrat und Wolf Biermann." In: *Dokumente,* 40. Jg., H. 3, 1984. S. 260–273.

Bathrick, David u. a. „Editorial: Wolf Biermann's Lyric I." In: *New German Critique,* Nr. 10, Winter 1977. S. 3–6.

Baumgart, Reinhard. „Ende des Familienkrachs." In: *Der Spiegel* 35/1977. S. 134–137. (Zum Clinch mit der SED und zur Notwendigkeit eines neuen Anfangs im Westen.)

Bohley, Bärbel u. a. „Biermann, der Volkseigene." In: *Deutsches Allgemeines Sonntagsblatt,* 2. Oktober 1988. (Zu VE*Biermann*)

„‚Dissidenten?' Texte und Dokumente zur DDR-,Exil'-Literatur." *Deutschunterricht,* H. 10, 1990 (Sonderheft). (Zu B., J. Fuchs, S. Heinrichs, R. Kunze, S. Pohl u. U. Schacht – die erste DDR-interne Dokumentation dieser Art.)

Domdey, Horst. „Meinungsfreiheit – nichts als ein bürgerliches Recht? Zur Auseinandersetzung von Kommunisten in der BRD mit Wolf Biermann." In: *Berliner Hefte,* H. 11, 1976. S. 97–105.

Fogg, Derek. „Exodus from a Promised Land. The Biermann Affair." In: *The Writer and Society in the GDR.* Hrsg. von Ian Wallace. Tayport, Fife: Hutton Press, 1984. S. 134–151.

Friedrich-Hölderlin-Preis. Reden zur Preisverleihung am 7. Juni 1989. Bad Homburg v. d. Höhe: Magistrat der Stadt. o. J.

Götze, Karl-Heinz. „‚Kritischer Kommunist' oder ‚Antikommunist'? Biermanns Kölner Konzert." In: *Das Argument,* 18. Jg., Nr. 100, Nov./Dez. 1976. S. 996–1003. (Auf S. 1004 f. findet man auch die „Erklärung zum Fall Biermann".)

Hage, Volker. „Einzelkämpfer, Einzelgänger. Wolf Biermann und Botho Strauß." In: ders., *Die Wiederkehr des Erzählers.* Neue deutsche Literatur der siebziger Jahre. Frankfurt am Main/Berlin/Wien: Ullstein, 1982. S. 206–221. (Der Biermann-Teil stand zuerst in der *FAZ* vom 13. 11. 81.)

ders. „Verdrehte Welt – das seh' ich gerne. Wolf Biermann." In: ders., *Alles erfunden. Porträts deutscher und amerikanischer Autoren.* Reinbek: Rowohlt, 1988. S. 55–77.

Hammer, Jean-Pierre. „Wolf Biermann und das französische Chanson." In: *W. B. Liedermacher und Sozialist* (vgl. oben), S. 117–134.

Hermand, Jost. „Biermanns Dilemma." In: *Basis.* Bd. 4, 1974. S. 175–191. (Zu B's „Biologismus", „Hippie-Mentalität"; Kritik am „3. Weg" und an B's „Ladenhüter(n) des Anarchismus". Vielleicht die meistkritisierte Arbeit über Biermann.)

Jäger, Manfred. „Der Zorn des Zufrühgekommenen. Wolf Biermanns Reflexionen über Wort und Tat." In: ders., *Sozialliteraten.* Funktion und Selbstverständnis der Schriftsteller in der DDR. Düsseldorf: Bertelsmann Universitätsverlag, 1973. S. 129–137.

Jakobs, Karl-Heinz. „Wir werden ihre Schnauzen nicht vergessen." In: *Der Spiegel* 48/1981, S. 86–108. (DDR-Autoren und die Ausbürgerung)

John, David G. „Wolf Biermanns Lied ‚Von den Menschen' und Alexander Popes ‚Essay on Man!" In: *Seminar,* Mai 1985. S. 108–122.

Jungheinrich, Hans-Klaus. „Er wird noch gebraucht." In: *FR,* 23. Juni 1990. (Zu *KiG*)

Klunker, Heinz. „Biermann, Kunze und die Folgen." In: *Schweizer Monatshefte,* Nr. 56, Jan. 1977. S. 859–874.

„Kulturnik 7423/91." *Der Spiegel,* 43/1991. (Zu B. und Sascha Anderson. B. sei „gerade erst vom Linksrebellen zum erotomanen Frotzelkönig mit Büchner-Preis-Krone mutiert".)

Kurzenberger, Hajo. „Wolf Biermann, ‚Letzte Variation über das alte Thema'." In: Peter Bekes u. a., *Deutsche Gegenwartslyrik von Biermann bis Zahl.* Interpretationen. München: Fink, 1982. S. 9–31. (=UTB 1115)

Lermen, Birgit. „‚Über der ganzen Szenerie fliegt Ikarus.' Das Ikarus-Motiv in ausgewählten Gedichten von Autoren aus der DDR." In: *Deutsche Lyrik nach 1945,* hrsg. von Dieter Breuer. Frankfurt am Main: Suhrkamp, 1988. S. 284–305. (=st Materialien 2088) (Zu B's „Preußischer Ikarus", 296–302.)

Lermen, Birgit/Matthias Loewen. *Lyrik aus der DDR.* Paderborn/München/Wien/Zürich: Ferd. Schöningh, 1987. (Zu B's „Ermutigung", „Es gibt ein Leben vor dem Tod" und „Preußischer Ikarus", 343–370.)

McCormick, Dennis R. „Wolf Biermann and ‚die zweite deutsche Exilliteratur': An Appraisal After Nine Years." In: *Studies in GDR Culture and Society* 6, hrsg. von Margy Gerber u. a. Lanham/New York/London: University Press of America. 1986. S. 187–203.

Reininghaus, Frieder. „Noch ein Doppelschlag." In: *taz,* 11. Juni 1990. (Zu *Gut Kirschenessen* und *KiG*)

Riewoldt, Otto F. „‚Wir haben jetzt einen Feind mehr.' Wolf Biermann in der BRD." In: Klaus Antes u. a., *Wolf Biermann* (vgl. oben), S. 6–39.

Rothschild, Thomas. „Also doch auch zur Gitarre." In: *Geschichte im Gedicht,* hrsg. von Walter Hinck. Frankfurt am Main: Suhrkamp, 1979. S. 272–279. (=es 721) (Zu B's „Chile. Ballade vom Kameramann")

ders. „Wolf Biermann". In: ders., *Liedermacher. 23 Porträts.* Frankfurt am Main: Fischer, 1980. S. 26–35. (=Fischer TB 2959) (Die wichtigste Studie über B. und seine ‚Zunft'.)

ders. „Stöhnende Musen? Wolf Biermanns Lyriksammlung *Affenfels und Barrikade.*" In: *FR,* 1. Oktober 1986. (Auch in: *Deutsche Literatur 1986.* Stuttgart: Reclam, 1987. RUB 8403.)

Schneider, Peter. „Biermanns neue Liebeslieder." In: ders., *Atempause.* Reinbek: Rowohlt, 1977. S. 192–194. (=dnb 86)

Stein, Hannes. „An mir magst du sie anschaun, diese Jahreszeit." In: *Neue Rundschau,* H. 1, 1990. S. 59–72. (Zu B's Shakespeare-Übersetzungen.)

Tapparelli, Elda. „Karl Wolf Biermann, lirico del dissenso." In: *Quaderni di Lingue e Letterature*, 1976. S. 125–137.

Volckmann, Silvia. *Zeit der Kirschen? Das Naturbild in der deutschen Gegenwartslyrik: Jürgen Becker, Sarah Kirsch, Wolf Biermann, Hans Magnus Enzensberger*. Königstein/Ts.: Forum Academicum 1982. (=Hochschulschriften Literaturwissenschaft, Bd. 56) (Vielleicht die beste Studie zu einem Einzelaspekt von B's Schaffen.)

Vollmer, Antje. „Ich möchte am liebsten weg sein – und bleibe am liebsten hier." In: *Die Zeit* 50/1988 (Zu *VEBiermann*)

Wittkowski, Joachim. *Lyrik in der Presse: Eine Untersuchung der Kritik an Wolf Biermann, Erich Fried und Ulla Hahn*. Würzburg: Königshausen und Neumünster, 1991. (=Epistemata: Reihe Literaturwissenschaft, Bd. 67.)

„Wolf Biermann. Die Rache des Dichters." In: *Hamburger Hochschulzeitung*, 22. Januar 1990. (B. habe „schon immer Kommunismus mit Humanismus verwechselt".)

Zimmer, Dieter E. „Wolf Biermann wird nicht vergessen." In: *Die Zeit* 23/1967.

Zimmermann, Peter. „Der Sturz des preußischen Ikarus. Zur Wirkungsgeschichte eines deutschen Sängers." In: *Jahrbuch zur Literatur in der DDR*. Bd. 2: Die deutsche Misere einst und jetzt. Hrsg. von Paul Gerhard Klussmann und Heinrich Mohr. Bonn: Bouvier, 1982. S. 177–198. (Kritik an B's „negativem Personenkult")

C. Sonstige Arbeiten

Bathrick, David. „The Politics of Culture: Rudolf Bahro and Opposition in the GDR." In: *New German Critique*, Nr. 15, Herbst 1978. S. 3–24. (Zu B.: 17–19)

Emmerich, Wolfgang. *Kleine Literaturgeschichte der DDR*. Frankfurt am Main: Luchterhand Literaturverlag, 5. erw. u. bearb. Aufl. 1989. (=SL 801) (Bes.: „VIII. Parteitag, Biermann-Ausbürgerung und die Folgen", 242–258.)

„Entwicklungsprobleme der Lyrik seit dem V. Deutschen Schriftstellerkongreß." In: *Neue Deutsche Literatur*, H. 6, 1963. S. 55–71.

Fehervary, Helen. „Prometheus Rebound: Technology and the Dialect of Myth." In: *The Technological Imagination: Theories and Fictions*, hrsg. von Andreas Huyssen u. a. Madison: Coda, 1980. S. 95–105. (Zu B's „Der Aufsteigende" u. a.)

Grebing, Helga. *Der Revisionismus. Von Bernstein bis zum ‚Prager Frühling'*. München: C. H. Beck, 1977. (Zu Bloch, Havemann u. a.)

Greiffenhagen, Martin. *Propheten, Rebellen und Minister. Intellektuelle in der Politik*. München: Piper, 1986. (Bes. „Politisch Lied", 87–103.)

Haase, Horst u. a. *Geschichte der Literatur der Deutschen Demokratischen Republik*. (Ost-)Berlin: Volk und Wissen, 1977. (Zu B. 490–491)

Hahn, Ulla. *Literatur in der Aktion*. Zur Entwicklung operativer Literaturformen in der Bundesrepublik. Wiesbaden: Athenaion, 1978. (=Athenaion Literaturwissenschaft, Bd. 9)

Hausmann, Frank-Rutger. „Einführung" und „Kommentar". In: Villon, François. *Das Kleine und das Große Testament* (vgl. oben).

Hinderer, Walter (Hg.). *Geschichte der politischen Lyrik in Deutschland*. Stuttgart: Reclam, 1978. (Bes. W. H., „Versuch über den Begriff und die Theorie politischer Lyrik", 9–42.)

Jäger, Manfred. *Kultur und Politik in der DDR*. Köln: Edition Deutschland Archiv (Verlag Wissenschaft und Politik), 1982.

Kleines politisches Wörterbuch. (Ost-)Berlin: Dietz, 3. Aufl. 1978.

Korte, Hermann. *Geschichte der deutschen Lyrik seit 1945*. Stuttgart: Metzler, 1989. (=SM 250) (Zu B. 131–133)

Kunze, Reiner (Hg.). *Deckname „Lyrik"*. Frankfurt am Main: Fischer, 1990. (=Fischer TB 10 854) (Auch B. und Havemann kommen in Kunzes Stasi-Akten vor.)

Mayer, Hans. *Die unerwünschte Literatur*. (West-)Berlin: Siedler, 1989. (Zu B. und Rudi Dutschke 27–30)

Mitscherlich, Alexander und Margarete. *Die Unfähigkeit zu trauern*. München: Piper, 1967.

Petzoldt, Leander. *Bänkelsang. Vom historischen Bänkelsang zum literarischen Chanson*. Stuttgart: Metzler, 1974. (=SM 130)

Poletti, Elena. „Song as Document: The Paris Commune in German Songs." In: *Literature and Revolution,* hrsg. von David Bevan. Amsterdam: Editions Rodopi, 1989, S. 35–48.

Priester, Karin. *Hat der Eurokommunismus eine Zukunft?* München: C. H. Beck, 1982.

Raddatz, Fritz J. *Zur deutschen Literatur der Zeit 3*. Eine dritte deutsche Literatur. Reinbek: Rowohlt, 1987. (=Rowohlt TB 8449)

Rieger, Dietmar. „Einleitung", „Kommentar" und „Nachwort" („Das französische Chanson der Moderne – Definitions- und Abgrenzungsprobleme"). In: *Französische Chansons* ... (vgl. oben).

Riha, Karl. *Moritat, Bänkelsang, Protestballade*. Kabarettlyrik und engagiertes Lied in Deutschland. Königstein/Ts.: Athenäum, 2. durchg., erg. u. erw. Aufl. 1979. (Zu B. 148–154)

Rosellini, Jay. „Subjektivität contra Politik? Anmerkungen zur Lyrik der DDR." In: *Deutsche Gegenwartsliteratur*. Hrsg. von Manfred Durzak. Stuttgart: Reclam, 1981. S. 517–551. (Zu B. 531–533)

Rothschild, Thomas. „Durchgearbeitete Landschaft. Die Auseinandersetzung mit dem Naturgedicht in einer Gegenwart zerstörter Natur." In: Norbert Mecklenburg (Hg.), *Naturlyrik und Gesellschaft*. Stuttgart: Klett-Cotta, 1977. S. 198–214. (Zu B., Fried, Kunze, V. Braun u. a.)

ders. „ ‚Das hat sehr gut geklungen.' Liedermacher und Studentenbewegung." In: *Nach dem Protest. Literatur im Umbruch,* hrsg. von W. Mar-

tin Lüdke. Frankfurt am Main: Suhrkamp, 1979. S. 140–157. (=es 964)
(Zu Degenhardt, Moßmann, Wader u. a.)

ders. „Liedermacher." In: *Politische Lyrik. Text und Kritik*, H. 9/9 a,
3. Aufl. 1984. S. 85–93.

Sander, Hans-Dietrich. *Geschichte der Schönen Literatur in der DDR*. Freiburg: Rombach, 1972.

Schmidt, Karl-Wilhelm. „Grenzüberschreitungen. Über Leben und Literatur ehemaliger DDR-Autoren in der Bundesrepublik. Eine Bestandsaufnahme kulturpolitischer Folgen der Biermann-Ausbürgerung." In: *Pluralismus und Postmodernismus*, hrsg. von Helmut Kreuzer. Frankfurt am Main/Bern/New York/Paris: Peter Lang, 1989, S. 151–192. (=Forschungen zur Literatur- und Kulturgeschichte, Bd. 25)

Schneider, Michael. *Den Kopf verkehrt aufgesetzt*. Darmstadt und Neuwied: Luchterhand, 1981. (=SL 324)

Schubbe, Elimar (Hg.). *Dokumente zur Kunst-, Literatur- und Kulturpolitik der SED*. Stuttgart: Seewald, 1972.

Sie kommen aus Deutschland. DDR-Schriftsteller in der Bundesrepublik. Ausstellungskatalog der Stadtbibliothek Worms,1989.

Ueding, Gert (Hg.). *Literatur ist Utopie*. Frankfurt am Main: Suhrkamp, 1978. (=es 935) (Bes. G. U., „Literatur ist Utopie", 7–14)

Walther, Joachim/Wolf Biermann u. a. (Hg.). *Protokoll eines Tribunals*. Die Ausschlüsse aus dem DDR-Schriftstellerverband 1979. Reinbek: Rowohlt, 1991. (=Rowohlt aktuell 12 992)

Wörterbuch der Literaturwissenschaft. Hrsg. von Claus Träger. Leipzig: VEB Bibliographisches Institut, 1986. (Unter „Liedermacher" wird Udo Jürgens erwähnt, B. aber nicht!)

Wüst, Karl Heinz. *Sklavensprache. Subversive Schreibweisen in der Lyrik der DDR 1961–1976*. Frankfurt am Main/Bern/New York/Paris: Peter Lang, 1989. (=Europäische Hochschulschriften, Reihe I, Deutsche Sprache und Literatur, Bd. 1129) (Zu den DDR-Lyrikern, die den Weg B's nicht einschlugen.)

D. Addenda

Anderson, Sascha. „Ein hoffentlich schöner und lang anhaltender Amoklauf. Zum Thema AIM 7423/91: Ein Bericht." FAZ, 30.10.1991.

Biermann, Wolf. „Stasi-Akten explodieren. Eine kleine Ansprache." (Laudatio auf Utz Rachowski in Fellbach.) FAZ, 14.11.1991.

„Pegasus an der Stasi-Leine". SPIEGEL 47/1991.

„Die Opfer der Diktatur sitzen nicht in Talk-Shows." (Mit Jürgen Fuchs sprach Jürgen Serke.) *Die Welt*, 4.11.1991.

Fuchs, Jürgen. „Landschaften der Lüge. Über Schriftsteller im Stasi-Netz." SPIEGEL 47ff./1991.

Grünbein, Durs. „Im Namen der Füchse. Gibt es eine neue literarische Zensur?" FAZ, 26.11.1991.

Jessen, Jens. „Ein Notverkauf der Russen. Wolf Biermanns Büchnerpreisrede über das Ende der DDR." FAZ, 21.10.1991.

Kunert, Günter. „Zur Staatssicherheit. Poesie und Verbrechen." FAZ, 6.11.1991.

Radisch, Iris. „‚Das ist nicht so einfach.' Ein ZEIT-Gespräch mit Sascha Anderson." ZEIT 45/1991.

Radisch, Iris. „Warten auf Montag. Anderson, Biermann und die Stasi: Zwischenrufe in einer endlosen Affäre." Braun, Volker. „Monströse Banalität." Beide in ZEIT 48/1991.

Reich-Ranicki, Marcel. „Der leidende Liedermacher. Rede auf Wolf Biermann aus Anlaß der Verleihung des Georg-Büchner-Preises." FAZ, 26.10.1991.

Schirrmacher, Frank. „Ein grausames Spiel. Der Fall Sascha Anderson und die Stasi-Akten." FAZ, 25.10.1991.

Schirrmacher, Frank. „Verdacht und Verrat. Die Stasi-Vergangenheit verändert die literarische Szene." FAZ, 5.11.1991.

Steinert, Hajo. „Die Szene und die Stasi. Muß man die literarischen Texte der Dichter vom Prenzlauer Berg jetzt anders lesen?" ZEIT 49/1991.

„Viehisches Gefecht." Novak, Helga M. „Offener Brief an Wolf Biermann, Sarah Kirsch und Jürgen Fuchs." Beide in: SPIEGEL 44/1991.

Zeittafel*

1936	15. 11.: WB als Sohn von Emma und Dagobert Biermann in Hamburg geboren.
1943	Tod des Vaters in Auschwitz.
1950	Als „junger Pionier" Teilnahme am Weltjugendtreffen in Ostberlin.
1953	5. 3.: Tod Stalins. 15. 5.: WB siedelt in die DDR über. Besuch eines Internats in Gadebusch. Die Mutter bleibt in Hamburg. 17. 6.: Aufstand in Ostberlin und in anderen DDR-Städten.
1955	Abitur. WB beginnt ein Studium der Politischen Ökonomie an der Humboldt-Universität.
1956	XX. Parteitag der KPdSU, Beginn der Entstalinisierung. Tod Bertolt Brechts.
1957/59	Abbruch des Studiums. Arbeit als Regieassistent am Berliner Ensemble.
1959/60	Die ersten Lieder entstehen.
1959/63	Studium der Philosophie und Mathematik an der Humboldt-Universität. Zum 150. Jubiläum der Uni-Gründung Vorbereitung einer Agit-Prop-Revue. 1960: Erste Begegnung mit Hanns Eisler, der ihn fördert.
1961	13. 8.: Bau der Mauer.
1961/62	Gründung und Aufbau des „Berliner Arbeiter- und Studententheaters" (b. a. t.) in Ostberlin. WB's Stück *Berliner Brautgang* wird geprobt. Das Stück wird vor der Premiere verboten, das Theater geschlossen (1963).
1962	Druck der ersten Gedichte in der DDR in der Anthologie *Liebesgedichte*. 11. 12.: Erster öffentlicher Auftritt beim „Lyrikabend" der Akademie der Künste. (Organisator: Stephan Hermlin.)
1963	Staatsexamen. Ausschluß aus der SED. (WB war 1962/63 Kandidat der Partei.) Auftrittsverbot bis Juni 1963.
1964	Gastspiel beim Ostberliner Kabarett „Die Distel". Erste Auftritte im Westen.
1965	Zweite Weltreise. Auftritte bei Wolfgang Neuss, den „Stachelschweinen" und beim SFB III. Gast der Gruppe 47. Juni: Letzter öffentlicher Auftritt in der DDR (Leipzig). *Die Drahtharfe*

* ausführlicher bei Meier-Lenz [3]1985, 137 ff. (bis 1984)

erscheint bei Wagenbach in Westberlin. Dezember: 11. Plenum des ZK der SED – Polemik gegen WB und andere. WB wird zur Unperson in der DDR.

1966   „lex Biermann": Alle DDR-Autoren sind verpflichtet, ihre Werke zuerst DDR-Verlagen anzubieten.

1967   Erster (Brief-)Kontakt zwischen WB und Rudi Dutschke.

1968   Panzer beenden den „Prager Frühling".
Mit Marx- und Engelszungen.

1969   *Chausseestraße 131*: Erste eigenständige Langspielplatte. (Bis 1990 16 LPs.)
Fontane-Preis, Westberlin.

1970   *Der Dra-Dra.*

1971   Uraufführung des *Dra-Dra* an den Münchner Kammerspielen. Theaterskandal, der zur Entlassung des (1958 aus der DDR gekommenen) Chefdramaturgen Heinar Kipphardt führt.

1972   *Für meine Genossen.*   *Deutschland. Ein Wintermärchen.*

1973   Mit Rudi Dutschke auf den Weltjugendfestspielen in Ostberlin. Besuch (inkognito) bei der todkranken Oma Meume in Hamburg.
Deutscher Schallplattenpreis.

1974   Offenbach-Preis der Stadt Köln.

1975   Deutscher Schallplattenpreis.

1976   September: Auftritt in der Prenzlauer Nikolaikirche. November: Ausreisegenehmigung, Konzert in Köln. Daraufhin Ausbürgerung aus der DDR.

1977   Erste Tourneen in westeuropäische Länder.
Nachlaß 1. Deutscher Schallplattenpreis.
Besuch bei Ernst Bloch in Tübingen.

1978   *Preußischer Ikarus.*

1980   Deutscher Kleinkunstpreis für Chanson.
WB als unabhängiger ‚Wahlkampfsänger‘ unterwegs. Danach fast zweijährige ‚Pause‘.

1981/83   Zeitweise in Paris.

1982   *Verdrehte Welt – das seh’ ich gerne.* (Das erste Buch, das ausschließlich ‚West-Texte‘ enthält.)
Besuch beim todkranken Robert Havemann in Ostberlin.

1983   Gastprofessur in den USA (Ohio State University).
Konzerte in den USA.

1984   Südwestfunk-Liederpreis.

1985   Teilnahme an der Sitzblockade gegen US-Raketen in Mutlangen. (Später zu einer Geldstrafe verurteilt.)

1986   Auftritt beim Nürnberger Bardentreffen.
Konzert mit Freunden zum 50. Geburtstag in Köln. *Affenfels und Barrikade.*

1987   „Rede über Deutschland" in München.

1988	Frühe DDR-Lieder werden dem West-Publikum vorgestellt.
1989	Juni: Verleihung des Friedrich-Hölderlin-Preises.
	Oktober/November: Zeitungsartikel über die Lage in der DDR.
	1. Dezember: Konzert in Leipzig. Zuvor Treffen mit Kulturminister Keller (SED).
1990	DDR-Uraufführung des *Dra-Dra* am b. a. t. in Ostberlin. Weitere publizistische Beiträge zur ‚DDR-Revolution‘, auch Konzerte dort, u. a. in Ostberlin am Vorabend der deutschen Einheit (2. Oktober).
1991	Beim Golfkrieg Parteinahme für Israel, Auseinandersetzung mit der deutschen Friedensbewegung (wie schon in den frühen 80er Jahren)
	Mörike-Preis der Stadt Fellbach.
	Büchner-Preis 1991.

Sigelverzeichnis

AL	=	*Alle Lieder*
DH	=	*Die Drahtharfe*
MME	=	*Mit Marx- und Engelszungen*
FmG	=	*Für meine Genossen*
DEM	=	*Deutschland. Ein Wintermärchen*
N1	=	*Nachlaß 1*
PI	=	*Preußischer Ikarus*
VW	=	*Verdrehte Welt – das seh’ ich gerne*
KiG	=	*Klartexte im Getümmel*

| I&G | = | Interviews und Gespräche (s. die Bibliographie, I. C.) |

DAS	=	*Deutsches Allgemeines Sonntagsblatt*
FAZ	=	*Frankfurter Allgemeine Zeitung*
FR	=	*Frankfurter Rundschau*
ND	=	*Neues Deutschland*
StZ	=	*Stuttgarter Zeitung*
SZ	=	*Süddeutsche Zeitung*
taz	=	*die tageszeitung*

Autorenbücher

Es liegen Bände vor über

Ilse Aichinger, von Gisela Lindemann (BsR 604)
Ingeborg Bachmann, von Peter Beicken (BsR 605)
Thomas Bernhard, von Bernhard Sorg (AB 7)
Heinrich Böll, von Jochen Vogt (BsR 602)
Gottfried-August Bürger, von Günter Häntzschel (BsR 617)
Elias Canetti, von Edgar Piel (AB 38)
Matthias Claudius, von Herbert Rowland (BsR 617)
Heimito von Doderer, von Dietrich Weber (AB 45)
Friedrich Dürrenmatt, von Jan Knopf (BsR 611)
Marieluise Fleißer, von Moray McGowan (BsR 601)
Max Frisch, von Alexander Stephan (BsR 37)
Franz Fühmann, von Uwe Wittstock (BsR 610)
J. W. von Goethe, von Dorothea Lohmeyer-Hölscher (BsR 623)
Heinrich Heine, von Stefan Bodo Würffel (BsR 612)
Hermann Hesse, von Christian Immo Schneider (BsR 620)
Henrik Ibsen, von Wladimir Admoni (BsR 619)
Jens Peter Jacobsen, von Bengt Algot Sorensen (BsR 618)
Uwe Johnson, von Walter Schmitz (AB 43)
Franz Kafka, von Thomas Anz (BsR 615)
Wolfgang Koeppen, von Martin Hielscher (BsR 609)
Siegfried Lenz, von Hans Wagner (AB 2)
Martin Luther, von Albrecht Beutel (BsR 621)
Novalis, von Hermann Kurzke (BsR 606)
Joseph Roth, von Wolfgang Müller-Funk (BsR 613)
Friedrich Schiller, von Gert Ueding (BsR 616)
Arno Schmidt, von Wolfgang Proß (AB 15)
Adalbert Stifter, von Franz Baumer (BsR 614)
Theodor Stern, von Roger Paulin (BsR 622)
Georg Trakl, von Peter Schünemann (BsR 607)
Martin Walser, von Anthony Waine (AB 18)
Peter Weiss, von Heinrich Vormweg (AB 21)
Christa Wolf, von Alexander Stephan (BsR 603)

Buchanzeigen

Französische Dichtung

Band 1: *Von Villon bis Théophile de Viau*
Herausgegeben von Friedhelm Kemp und Werner von Koppenfels.
1990. XXXVI, 592 Seiten. Leinen

Band 2: *Von Corneilla bis Gérard de Nerval*
Herausgegeben von Hanno Helbing und Federico Hindermann.
1990. XII, 504 Seiten. Leinen

Band 3: *Von Baudelaire bis Valéry*
Herausgegeben von Friedhelm Kemp und Hans-Theo Siepe.
1990. XVI, 559 Seiten. Leinen

Band 4: *Von Apollinaire bis zur Gegenwart*
Herausgegeben von Bernhard Böschenstein und Hartmut Köhler
1990. XVII, 627 Seiten. Leinen

Sowohl dem Umfang als auch der Auswahl nach
stellt dieses Unternehmen etwas Neues dar.
Ein Gremium von Kennern und erfahrenen Übersetzern
hat sich zusammengefunden, um die französische Dichtung
aus sechs Jahrhunderten in ihrer ganzen Breite und Vielfalt
zu vergegenwärtigen. Zahlreiche Texte wurden eigens für
diese Sammlung neu übertragen. Dem Leser wird manches
Vertraute wiederbegegnen, überwiegen jedoch dürften
für ihn die Entdeckungen.
»... ein hinreißendes, ein aufregendes geistiges Panorama
unseres Nachbarlandes.«

Jürgen Serke, Die Welt

Verlag C.H. Beck München

Arbeitsbücher zur Literaturgeschichte

Hermann Kurzke
Thomas Mann
Epoche - Werk - Wirkung
2., überarbeitete Auflage. 1991. 349 Seiten. Broschiert

Jürgen Jacobs/Markus Krause
Der deutsche Bildungsroman
Gattungsgeschichte vom 18. bis zum 20. Jahrhundert
1989. 246 Seiten. Broschiert

Volker Wehdeking/Günter Blamberger
Erzählliteratur der frühen Nachkriegszeit (1945 – 1952)
1990. 239 Seiten. Broschiert

Barbara Könneker
Satire im 16. Jahrhundert
Epoche, Werke, Wirkung
1991. 269 Seiten. Broschiert

Christoph Strosetzki
Miguel de Cervantes
Epoche - Werk - Wirkung
1991. 219 Seiten. Broschiert

Annegret Maack
Charles Dickens
Epoche - Werk - Wirkung
1991. 246 Seiten, 15 Abbildungen im Text. Broschiert

Verlag C.H. Beck München